KB178295

플롯(Plot)

ModernBooks

플롯(Plot)

발　행 | 2024년 01월 22일
저　자 | 김영, 신지원, 유희수, 이채연, 이화선, 정아연, 한유상
펴낸이 | 박강산
펴낸곳 | 모던북스
출판사등록 | 2022.10.27.(제2022-144호)
주　소 | 서울특별시 동작구 현충로 220
이메일 | modernbooks_official@naver.com

ISBN | 979-11-93445-09-9

https://modernbooks.co.kr
© Modernbooks 2024
본 책은 저작자의 지적 재산으로서 무단 전재와 복제를 금합니다.

들어가며

『플롯』에는 모던북스의 <작가가 되는 시간>을 통해 발굴한 일곱 명의 신인 소설가의 작품이 수록되어 있습니다.

인생의 운전대를 처음 잡은 20대 사회초년생의 미숙하지만 뜻 깊은 여정을 통해 자립과 성장의 과정을 표현한(「다시 차를 살 용기」), 전통적 결혼관과 신(新) 노년층의 새로운 가치관 간의 충돌, 그리고 내적 갈등에 관한 이야기를 다룬 (「졸혼」)

어느 평온하였던 일상에 균열이 생긴 순간을 포착함으로써 당연하게만 느껴지는 일상의 진정한 가치를 되새기게 만드는 (「다시 원동역」), 연극 무대의 커튼 너머에 서 있는 주인공의 그리운 마음이, 더 강렬한 그리움으로 인해 치유되는 이야기를 담은 (「사이코드라마」), 자살을 결심한 여자의 '아주 사적인' 이야기를 담은 (「사적인 5일」), 겨울이 가면 봄이 오듯 자연스럽지만 쉬이 받아들이기 힘든 이별에 대한 이야기를 모녀 관계에 빗댄 (「눈사람의 목도리」), 골록 티벳족 자치주를 방문한 남자가 고원과 인연을 맺어가며 겪는 (「해발 3,000미터 국도 227번」)가 수록되어 있습니다.

차   례

다시

차를 살 용기

김
영

24살 찬바람이 불어 올 무렵 조수석에 어머니를 태우고 언니 네 집으로 향하던 날이었다. 초행길인데도 겁 없이 달렸다. 면 허를 취득한 지 2개월 정도 됐을 때인데, 왠지 모를 자신감이 넘쳐났다. 엄마를 옆자리에 태우고 네 살 터울이 나는 언니의 집으로 직접 운전에서 간다는 것에 알 수 없는 설렘과 나의 성 장을 멋지게 보여주고 싶은 마음이 부풀어 올라 있었다. 부드럽 게 고속도로를 빠져나오며 거의 다 도착했다는 묘한 안심도 있 었다. 아직 정비되지 않은 도로라 공사벽이 설치되어 있고 차량 두 대가 간신히 지나갈 수 있는 좁은 커브 길을 도는 순간이었 다.

쾅!

마주 오던 차량이 시야에 가까워지는가 싶더니 일순 굉음을 내며 마주 오던 차량과 충돌했다. 찰나의 순간이었지만 사고 장면은 마치 슬로모션처럼 지나갔다. 브레이크를 밟아야 할지 핸들을 돌려야 할지 순간 머릿속 회로가 정지 됐다. 나는 급하게 안전띠를 부여 잡았지만 몸이 살짝 떠오르는 게 느껴졌다. 언니에게 차를 물려받으며 선물 받았던 차량용 방향제와 네비게이션을 보기 위해 설치해 둔 휴대폰 거치대 등이 바닥으로 쏟아지며 요란한 소리를 냈다. 높은 공사벽과 커브길로 인하여 시야가 확보 되지 않았고, 중앙선이 없던 터라 맞은편에서 차가 올 거라는 생각은 하지 못했다. 운전 경험이 많지 않은 초보운전이기에 고속도로에서 빠져나온 직후 만난 이 도로에 맞은편 차가 올 수도 있다는 예상도 하지 못했다. 반대편 차에는 3인 가족과 강아지 한 마리가 타고 있었다. 아저씨는 내게 성이 난 얼굴로 소리를 치며 화를 냈다.

"핸들을 틀었어야지!"

"… 죄송합니다"

"눈 똑바로 뜨고 다녀야지 너 같은 년한테 운전면허 준 새끼는 누구야?!"

"… 죄송합니다."

연신 죄송하단 말만 반복했다. 모르는 남자 어른에게 도로에서 욕설을 듣고 있는 상황 자체에 두려움이 휩싸였다. 심장은 쿵쾅거리고, 추운 겨울이었지만 몸에서는 땀이 났다. 머리도 쭈뼛쭈뼛 다 서는 기분이었다.

강아지와 아들로 추정되는 어린아이는 뒷좌석에서 창문을 내려 상황을 응시하고 있을 뿐이었고, 조수석에 타 있는 여자 어른 역시 내려서 상황을 보지도 않고 그저 귀찮은 일에 휘말렸다는 표정으로 보고만 있었다.

어떻게 사고처리를 해야 할지 모르고 처음 사고에 두려웠던 나는 사과하는 게 옳다고 생각했다. 거기다 다짜고짜 화를 내다 내 잘못인 것 같았다.

제일 먼저 떨리는 손으로 휴대폰을 찾아 언니에게 전화를 걸어 사고 사실을 전했다. 나에게도 이런 일이 생기다니 눈 앞이 캄캄했다.

"가는 길에 교통사고가 났어. 맞은편 차량이랑 박았는데, 에어백도 터지고 옆에 공사벽도 파손됐어. 어떡하지?"

수화기 너머로 엄마와 나를 위해 요리를 준비 중이었던 언니의 가스레인지 위 압력밥솥의 소리가 나의 마음을 더 쪼여오며 시끄럽게 들려왔다. "다친 데는 없고?"

엄마도 놀라서 눈과 입이 동그랗게 커졌을 뿐 외관상 다친 곳은 보이지 않았다.

"응. 다행히 나랑 엄마는 크게 다친 것 같지는 않아."

"일단 보험회사 부르고 사설레커랑 엮이면 피곤하니까 보험사에서 보내주는 레커차량 이용해서 일단 집으로와."

사고처리는 간단한 일이었다. 그저 보험사에 전화해서 상황을 설명하고 잠시 기다리면 보험사 직원이 나와 상대방 보험사와 이야기를 나눈 후 차를 견인해 주었다. 나의 첫 자동차는 앞 범퍼가 심하게 찌그러지고 에어백이 다 터져 언니에게 물려받은 지 딱 2달 만에 폐차장으로 향했다. 집으로 가서 언니와 형부에게 자세한 사고경위를 말해줬다. 이때 형부가 세상사람들은 다 아는데 나만 모른다는 것처럼 이야기했다.

"처제, 처제 눈에는 중앙선이 안 보여도 그 길에는 중앙선이 있어."

"아니요. 중앙선이 없었어요."

"있어. 혹시 없더라도 운전자들의 마음에는 항상 중앙선이 있는 법이야. 넌 그게 없었던 거고."

어이없었다. 정말로 중앙선이 없었는데 자꾸 있다고 하는 것도, 없더라도 마음의 선이라는 게 있다고 말하는 게. 그럼 그걸 왜 운전면허 학원에선 알려주지 않는 건데?

다음날 회사에 전화를 해 사고 경위를 말했더니 회사에서는 차가 폐차될 정도면 1주일 정도는 입원하여 상태를 살피고 푹 쉬고 나오라고 했다. 하지만 회사에 입사한 지 1개월도 안 된 신입사원인데다가, 선임의 퇴사가 3개월 뒤 예정되어 있던 터라 하루라도 회사에 안 나가면 안 된다는 생각이 강하게 들었다. 회사에 출근하니 걱정 어린 시선과 큰 이슈 없는 회사에 대해 지루함을 느낀 사람들의 질문 공세가 들어왔다. 상황을 자세히 이야기했더니, 나의 직속 상사가 너무 걱정하지 말라며 "공사벽 부서진 것 정도는 우리 회사가 교통신호 쪽이니 도로공사나 정비를 협업하는 업체가 많아서 지인에게 말해 적당한 선에서 처리해 줄 수 있어"라고 이야기하며 실제로 도움을 주려고 여기저기 전화해 주었다. 너무나 든든했다. 우리 팀장님은 경찰서에 조사를 받으러 갈 때 같이 가주겠다고 이쪽 업계 사람들은 경찰들과도 논의 해야 하는 일이 많아서 두루두루 안다고 했다. 갑자기 천군만마가 생긴 거 같았고 그 무섭고 성질머리 고약한 아저씨에게도 자랑하고 싶은 마음이 들었다. 회사에 입사하길 잘했다는 생각이 들었고 애사심이 솟구쳐 이 일화를 사고 낸 것보다 더 많이 자랑하고 다녔다. 주변에서는 맞은편 차와 충돌하는 경우도, 운전석과 조수석 에어백이 다 터지는 경우도 극히 드물고 차를 폐차까지 했는데도 안 다친 거는 천만다행이라고들 얘기해 줬다. 물론 나도 다행이라 생각은 했지만 그 후로 운전대를 잡지는 못했다.

어느새 사고는 잊고 일에 몰두하며 하루하루를 보냈다. 하지만 회사가 교통신호업 일이다 보니, 운전을 해야 할 일이 종종 있었는데도 운전을 할 수가 없었고 겁이났다. 나의 실수로 인하여 엄마를 위험에 빠트린 것이 트라우마로 남았던 것이다. 날씨가 추워서 빨갛게 된 건지 화가 나서 빨간 건지 알 수 없는 아저씨의 얼굴과, 사고 당시 엄마가 너무 놀라서 입이 턱 벌어진 표정이 계속해서 떠올랐다.

엄마는 나에게 사고 이후에 지금 운전대를 놔버리면 나중에는 운전하는 것이 더 두려워질 거고, 결국 평생 운전을 못하게 될 것이라며 다시 차를 구매해 천천히 해보라고 조언했다. 그런데 나는 운전대를 잡을 생각만 해도 머릿속엔 온통 '이번엔 진짜 죽을 수도 있지 않을까? 그때는 정말 사고가 크게 날 거야.'라는 생각이 지배했다. 나의 첫 사고의 마무리는 차를 사지 않고 운전을 피하며 지내기로 결정했다.

3개월 후 선임이 예정대로 퇴사하고 일은 더욱 바빠졌고, 의지할 데 없이 회사만 다녀오면 기진맥진해져 터덜터덜 마르다만 수건처럼 되어 집으로 돌아왔다. 신입사원이지만 직원이 많지 않은 중소기업이라 스스로 판단하고 해결해야 할 일이 많았다. 상부에 도움을 청하며 중간보고를 하면 어떤 자료를 들고 가든 어떤 보고서를 제출하든 다 잘했다고만 했다. 정말 잘하는 줄 알고 그 상태로 최종자료를 제출하면 중간보고 때는 보이지 않는 문제점들이 최종 컨펌 시에는 발견되는 마법이라도 걸린 것처럼 매번 문제점을 지적받았다. 그 문제에 대해 질문을 하면 다들 모른다고 원래 전임자 고유의 업무라는 말만 돌아왔다. 속수무책이었다. 회사를 갈 생각만해도 내 마음은 답답함에 꽉 막혔고 회사에서 마음 편히 한숨을 쉬기도 눈치 보였다. 매일 한숨을 삼키며, 죄송하다는 말을 습관처럼 했다.

엎친 데 덮친 격으로 신입사원이 들어온 틈을 타 다른 부서 직원원들까지도 나를 괴롭혔다. 인수인계받지 않은 내용들과 나의 업무가 아닌 일까지 밀물처럼 밀려들어왔다. 나의 심리상태는 바닷속 한가운데에 빠져 허우적 대는 꼴이었다. 상체는 뜨거운 햇살 아래 있는데 몸은 차디 찬 바다에 발 디딜 곳 하나 없이 어떻게든 살려고 발을 휘젓고 동동거리며 버티는 지경이었다. 결국 업무에 실수가 발생했다. 마치 내가 다 잘못한 것처럼 타 부서의 이연옥대리는 나를 꾸짖었다. 가끔은 이연옥대리의 얼굴이 그때 그 교통사고가 났던 아저씨의 표정이 겹쳐서 보이는 날도 있었다. 억울했다. 인수인계를 받은 적도 없고 나와 같은 부서의 일도 아니고, 내가 지원한 직무와도 전혀 상관없는 업무였다. 그저 신입이란 이유로 날 몰아붙였다. 다른 직원들은 꼭 그 차에 타고 있던 가족들처럼 이 상황을 바라보기만 했다. 이때 나의 전임자가 나에게 해주던 말이 꼭 과거로부터 텔레파시라도 받은 거처럼 떠올랐다.

"이 회사에 널 지켜줄 사람은 아무도 없어. 자기 자신은 자기가 스스로 지키는 거야."

그때는 이해하지 못했다. 하지만 이런 상황에 몰려보니 회사에선 사고를 어떻게 처리해야 하는지 물어볼 언니도 엄마도 없었고 부르지도 않았는데 나에게 도움을 주러 달려올 레커차량도 존재하지 않았다. 당연히 내 이야기를 온전히 내 편에서 천천히 들어줄 보험사도 없었다. 내가 나를 지켜야 했다. 나의 억울함을 풀어야 했다. 하지만 회사에서의 하루는 순식간에 지나가고 그런 찰나의 순간들에 대응하기엔 이미 업무적으로나 인간관계에서나 연륜이 있는 그들에게 나의 상황을 표현하기엔 역부족이었다. 찰나의 순간들은 나의 밤에도 찾아와 나를 괴롭히며 단잠을 방해했다.

경찰에게서 전화가 왔다. 교통사고 건으로 인해 사건 조사와 경위서를 작성하러 오라는 내용이었다. 경찰서에 가게 되다니 큰 죄를 지은 건 아니지만 이런 곳에 불려 가는 일은 내게 큰 불안감을 줬다. 당연하게도 이런 경험을 해본 적이 없으니. 여하튼 주변의 조언들을 잘 참고해서 조사실로 들어갔다. 단단한 철문을 밀고 들어가니 밝은 형광등 아래에 생각보다 인상이 좋아 보이는 청년으로 보이는 경찰이 나를 안내해 줬다. 사실 별로 친절하지 않았는데 잘생겨서 내가 그렇게 착각했을 수도 있다. 그러나 그 포근한 청년경찰과 다르게 경위서를 쓰는 철제의자와 철제책상은 '이런 곳은 그런 생각을 하는 곳이 아니야.'라고 혼을 내듯 아주 딱딱하고 차가웠다. 나는 조용히 사고 경위에대해 자필로 기재하고 뭔가 눈에 띄고 싶지 않은 마음에 발걸음 소리를 낮춰 다시 그 경찰에게 다가가 경위서를 건넸다. 경위서를 받아 읽은 경찰이 내게 말했다.

"상대 운전자와 일치하지 않는 부분이 있네요. 상대운전자는 사고당시에 김민정씨가 연신 사과를 했다고 하는데 왜 그런 거죠?"

"아..그게 사고가 났으니 일단 사과를 했어요."

"상대편에서는 10:0을 주장하고 있습니다. 물론 김민정씨가 10이고요. 당시에도 인정했으니 사과를 한 거라고 하는데 맞나요?"

"제가 초보운전이라 과실을 어떻게 따지는지는 잘 모르겠습니다. 그저 사고가 났으니 사과를 했을 뿐입니다."

"잘못을 안 했는데 사과를 한 이유가 무엇인가요?"

"저에게 잘못이 있는지는 정확히 모르겠지만 아저씨가 내리자마자 화를 내시고 저는 엄마랑 둘이 있는데 너무 무서웠어요. 그래서 사과를 하고 얼른 자리를 피하고 싶었습니다."

잠시 뜸을 들이던 잘생긴 경찰은 고개를 갸우뚱거리며 말했다.

"무조건 사과를 하는 건 자칫 오해하면 잘못을 인정하게 되는 꼴이 될 수 있어요. 과실비율은 보험사와 함께 따져볼 테니 오늘은 이만 돌아가세요."

"네. 감사합니다."

무거운 철문을 다시 밀어 경찰서 밖으로 나왔다. 차가운 공기가 사회는 이렇게 삭막하단다. 하고 귓가에 속삭이는 것 같았다. 경찰서에 들어올때보다 나올 때 마음이 더 심란했다. '감사합니다', '잘못했습니다.' 등의 표현은 잘하는 사람보다 못하는 사람이 더 바보 같은 사람이라고 배우며 자랐는데 도대체 이 사회는 어떻게 구성이 된 건지 의문스러웠다. 분명 어른들이 쓴 글을 보고 배우며 나도 사회에 나와 어른이 된 건데, 알 수 없는 것 투성이었다. 그러나 이 세상은 나를 이런 철학적 생각을 하며 시간을 보내게 내버려 두지 않았다.

회사에 출근하니 이연옥 대리는 오늘도 자신의 업무를 메시지로 보내며 떠넘겼다.

"평소에 내가 늘 말했던 대로 해주면 돼~"

내가 무슨 단골 음식점 직원이야? 갑자기 마음속에 불씨가 피어올랐다. 이 짧은 한마디는 나의 심장을 쿵쿵. 쿵쿵 빠르게 뛰게 했다. 머리에서는 고주파음이 들려왔다. 대답을 미루고 약 1분간 나를 진정시켰다. 그리고 처음으로 불합리한 업무지시에 이의를 제기했다.

"이 업무는 제가 하는 업무가 아니라고 알고 있습니다."

사내 메신저에서 읽음 표시로 변경되자마자 자리에 전화벨이 울렸다. 발신자를 보니 이연옥 대리였다. 정말 받기 싫고 피할 수 있다면 피하고 싶었다. 그러나 회사 내의 전화 벨소리가 2번 이상 울리게 내버려둘 수는 없으니, 조용한 심호흡으로 마음을 가다듬고 수화기를 들었다.

"그럼 누가 하는 건데?"라며 이연옥 대리가 그 부서의 일을 나에게 역으로 질문했다. 당연히 나도 누가 해야 하는지 모른다. 하지만 난 아니었다.

"모르겠습니다. 제가 인수인계받은 내용에도 없으며 저의 업무 관련성과도 동 떨어져 있을 뿐만 아니라 폭넓게 생각해 제가 속한 부서의 업무로 봤을 때도 관계가 없습니다."

"우리 팀 어른들은 그렇게 생각 안 할걸? 들어온 지 얼마나 됐다고, 일 나누기하네~"

"..네?"

-뚝

그렇게 대화가 종료됐다. 머릿속에는 물음표가 가득했다. 이제 나는 어떻게 되는 거지? 내가 일 나누기를 한 건가? 무슨 일을 나눈 거지? 애초에 내 부서 일이 아닌데 나에게 그럴 권한이라도 있는 건가? 짧은 시간에 출처를 알 수 없는 분노에 휩싸였다가, 무언가 크게 쓰나미가 몰려올 것 같은 불안감, 이 모든 걸 피하고 싶다는 걱정으로 인한 없던 퇴사심까지 피어오르며, 여러 가지 생각은 뒤죽박죽되어 내 심장을 다시 둥둥 거리게 했다.

통화가 종료된 후 약 1분 만에 해당 부서의 차장에게 전화가 왔다.

"민정씨, 민정씨가 이 업무 안 한다고 했다며? 전임자는 다해 줬어. 그러니까 민정씨가 하는 거야 원래 하던 사람이 빠졌으니, 민정씨가 해야지 누가 해?"

그동안 쌓인 억울함이 더 이상은 참을 수 없다고, 나 여기 있다고 항변하듯 내 입이 마음대로 움직였다.

"제 전임자는 10년 가까이 일하신 경력자셨고 직급도 훨씬 높았습니다. 아마 전임자가 가끔 이런 부탁을 들어주신 거 같지만, 저는 지금 제 일도 너무 벅차서 도움을 드릴 수가 없습니다."

6개월도 안 된 신입사원의 행동으로 옳지 않을 수도 있었다. 그렇지만 계속 이렇게 가다간 내가 이 회사를 다닐 수가 없을 것 같았다. 전임자가 해줬다는 이유로 나의 팀장도 아닌, 타 부서 직원들이 나에게 직무에 맞지 않는 일을 준다는 게 이해가 안 갔다. 내가 어려서인지 또 사회에 이제 갓 발을 들인 초년생이어서인지 알 수가 없었다.

그렇게 거절 후 10분 뒤에 그 부서의 이사에게 전화가 왔다. 무서웠다. 난 나의 의견을 말했을 뿐인데, 이렇게 다른 부서사람들에게 줄줄이 전화를 받아야 할 일인가? 그렇게 내가 잘못했다면 내가 이해할 수 있게 설명을 해줄 수는 없는 걸까? 이미 이렇게 된 거 나도 모르겠다는 둥 오만가지 생각을 하며 전화를 받았다.

"네, 이사님"

"어, 민정아 지금 우리 이대리가 너 있는 곳으로 갈 거야. 업무분장에 대해서 만나서 이야기하고 깔끔하게 정리해"

"네"

업무분장? 왜 그쪽 팀 일을 나와 업무분장을 하는 건지 또 알 수가 없었다. 이렇게 불만이 가득한 생각을 하면서도 불안했다. 그런데 더 이상 물러날 수가 없었다. 물러설 거였으면 처음부터 거절도 안 하고 알겠다고 했을 것이다. 전화를 끊자마자 나는 내가 맡아서 해주던 해당부서의 모든 업무를 조용히 차곡차곡 엑셀시트에 정리했다. 글로 정리하고 보니 내가 생각했던 것보다 더 많은 시간을 빼앗기고 있었음을 깨달았다. 그리고 처음엔 부탁으로 왔던 일이 어느새 내 업무가 되어 있다는 사실도 눈치 챌 수 있었다.

1시간 뒤쯤 자신만만한 표정의 이대리와 재미있는 일을 앞두고 있는 듯한 표정의 이대리의 직속 부하가 같이 날 찾아왔다.

"안녕하세요~"

"연옥 대리 오랜만이네, 무슨 일이야?" 함께 일하는 사무실 동료가 환하게 웃으며 맞이해 줬다.

"김민정 씨랑 할 얘기가 좀 있어서요~"

다른 사무실에서 근무하는 이대리가 우리 사무실에 오랜만에 방문한 거니 우리 사무실 직원들도 다들 왜 왔는지 궁금해하면서 반가워하는 눈치였다. 나는 괜스레 더 위축되었다.

이야기는 회의실에서 진행됐는데 나는 미리 정리해 둔 내가 맡아서 해주던 해당부서의 모든 업무를 하나씩 나열하며 설명했다. 내가 할 이유가 없는 일들, 내가 이 회사에 어떤 직무를 맡고 있는지 나의 업무와 회사 내에서 나라는 직원의 정체성에 대해 설명했다.

그저 으악을 주고 회사 내의 친하게 지내는 높은 직급을 가진 직원들의 권력으로 나에게 일을 떠넘기려던 이대리는 결국 하는 말이 도돌이표처럼 맴돌기 시작했다. 이대리도 내가 왜 이 업무를 해야 하는지 오늘 나에게 전화로 압박을 주던 차장, 이사마저도 아무도 나에게 타당하게 설명할 게 없었기 때문이다. 그들의 주장인 '전임자는 해줬었다'가 먹히지 않자 결국엔 이대리는 나에게 나는 잡일 하러 들어온 직원이 아니다. 라며 악쓰기 시작했다. 무섭지 않았다. 그건 나도 마찬가지기 때문에. 그렇게 이대리는 나에게 떼를 부리다 자신의 부서 윗분들과 이야기를 해보겠다고 말하고는 자리를 떠났다.

나도 이쯤 되니 진이 빠졌다. 마치 숙제를 해야 되는 걸 알면서도 숙제하기 싫다고 삐대고 있는 기분이 들었다. 그때 마침 출장 갔던 나의 팀장님이 돌아왔다. 팀장님을 보자마자 반가운 마음을 참을 수가 없었다. 팀장님이 자리에 앉는 걸 확인하자마자 나는 팀장님의 자리로 달려갔다. 꼭 학교에서 놀림당하고 집에 돌아온 부모님을 붙잡고 하소연하는 것처럼 오늘의 일들을 빠르게 털어놨다. 나의 하루가 너무도 길고 고됐노라고. 내가 잘못하고 있는 거냐고, 다른 부서 사람들이 아닌 팀장님이 내가 잘못하고 있다고 민정이 네가 해야 되는 일이라고 하면 기꺼이 하겠다고. 그럼 난 다른 이유 없이 나를 고용하기로 선택한 나의 팀장님이 주는 업무니 마땅히 하겠다고. 마치 블랙박스를 보여주듯 구구절절 늘어놓았다. 묘하게 진지한 표정으로 가만히 들어주던 팀장님은 내 이야기가 끝나니 웃으며 말했다.

"허허, 내가 아버지야?" 나에게 휴지를 건네며 말을 이어갔다. "흠. 이 일을 어떻게 해결하면 좋을까? 민정씨는 무엇을 원해?"

잠시 생각을 하곤 대답했다.

"모르겠어요. 그냥 너무 힘들어요."

"민정씨는 내가 뽑은 나의 소중한 팀원이야. 일단 오늘 이런 일을 겪게 해서 미안하네. 다만 민정씨도 처음부터 우리 팀원들에게 도움을 요청해 보는 방법은 없었을까?"

사실 다른 팀원들에게 도와달라고 말을 안 해본 건 아니었다. 이런 일이 처음이 아니었기 때문에 이전에는 내 직속상사에게 고민형식으로 조언을 구했을 때도 있었지만, '나는 회사에서 힘이 없어.' 라든지 '힘들겠지만 그냥 해. 그 부서는 건들지 않는

게 좋아.'라는 답변이 돌아왔다. 하지만 이 일을 사실대로 팀장님께 고할 수는 없었다.

"저도 도와달라고 하고 싶었어요. 하지만 저희 팀들은 모두 외근이 잦고 바빠서 자리에 계신 분이 없잖아요! 오늘도 계속 저 혼자 있다가 팀장님만 지금 5시가 되어서 돌아오셨다고요!"

"그렇지, 우리 팀이 조금 바쁜 편이지." 팀장님은 물을 한 잔 마시고 차분한 어조로 말을 이었다. "이건 삼천포 일수도 있지만 요즘엔 평생직상이란 게 없다고 들었네. 하지만 나는 이 회사를 참 아끼고 좋아하네. 그래서 좋은 환경을 만들어 내 자식들에게도 이 회사를 자랑스럽게 여기며 아버지가 다니는 회사에 다니고 싶다는 생각이 들게 하고 싶은 꿈이 있네. 오늘 민정씨의 이야기를 들어보니 어렸을 때 생각도 나고 나는 이미 고인물화 되어 비교적 편안하게 직장을 다니고 있었다는 생각이 드네. 이건 나만이 아니고 아마 우리 회사 직원들 대다수의 직원들도 마찬가지 일 걸세. 다시 한번 물어보겠네. 민정씨는 내가 어떻게 해결해 주면 좋겠어?"

잠시 고민하다 이야기했다.

"저도 힘들게 취업해서 안정적인 회사에 다니는 게 꿈이었어요. 이 회사도 마음에 들고요, 처음 면접 볼 때도 그랬고, 지금 마음도 똑같아요." 잠시 숨을 고르고 이야기했다. "다시 취업전선에 뛰어들고 싶은 마음은 없어요. 하지만 지금 제 능력에 비해 일이 너무 많아서 버거워요. 제가 업무에 적응할 수 있도록 도와주세요. 그래서 제가 이 회사를 더욱더 사랑하고 오래 다닐 수 있게 시간을 벌어주세요."

"알겠네." 팀장님이 입꼬리 한쪽을 올리며 장난스럽게 물었다. "민정씨 근데 남자친구는 있나?"

어리둥절한 표정으로 내가 대답했다. "네? 아, 네 있어요."

"이 동네 사람이면 좋겠네."

"왜요?"

"그래야 결혼해도 어디 멀리 이사 안 가고 오래오래 우리 회사 다니지. 결혼해서도, 아이를 낳고도 민정씨가 다니고 싶은 회사를 내가 꼭 만들어 보겠네."

그렇게 팀장님과의 대화를 마치고 팀장님은 날 하루종일 괴롭히던 부서의 팀장에게 전화해 화를 내주었다. 타 팀에게 업무를 줄 때는 신입사원에게 다이렉트로 연락하는 게 아니고, 부서 간의 협의가 있어야 하는 일이라고. 아울러 앞으로 우리 팀원에게 한 번만 더 이렇게 줄줄이 소시지처럼 전화해서 괴롭게 한다면 가만있지 않을 것이라고. 나의 팀원에게 무언가 맡겨야 할 업무가 있든, 혼낼 게 있든 모두 나에게 전화하라고.

생각보다 일은 쉽게 해결됐다. 내가 과하게 맡고 있던 다른 팀의 업무는 도로 제자리를 찾아갔고, 진심 어린 사과는 아니었지만 사과도 받았다. 속은 시원했고 내 일에 더 집중할 수 있었으며, 부당한 일에 뭐든지 수긍하고 내가 참는 것만이 정답이 아니란 걸 알았다. 하루 만에 지나간 일이지만 이렇게 쉽게 해결될 줄 알았더라면 진작에 말해볼 걸 이라고 생각도 들었다. 3개월간의 힘들었던 일들로부터 해방감이 들었다. 오랜만에 기분

좋게 퇴근하던 중 경찰서에서 연락이 왔다.

"3개월 전 교통사고에 과실 비율이 나왔는데 5:5입니다. 중앙선이 없는 도로라 추가로 벌금이나 벌점은 없습니다."

나는 빙그레 웃었다. 그리고 나는 다시 자동차를 사기로 결심했다. 운전대를 잡는 일에 대해 크디 큰 눈덩이처럼 붙어있던 두려움은 어느새 녹아 없어지고, 마치 대학을 갓 졸업한 것처럼 설레는 마음이 들었다. 이전에는 언니에게 물려받은 자동차를 타고 다녔지만, 이번엔 내 마음에 쏙 드는 작은 경차 한 대를 구매했다. 약간의 대출은 필요했지만, 온전히 내가 선택한 자동차로 여기저기 여행도 다니고 다시 운전을 시작해 조금씩 삶의 질을 높여갔다.

운전도 계속하다 보니 처음에는 이해할 수 없었던 중앙선이 없는 도로에서 마음의 중앙선도 만들어졌다. 팀장님의 도움으로 인해 5년이 넘도록 같은 회사에 근무를 이어가고 있다. 업무 차 외근할 일이 있어 나의 부사수도 데려가 알려주면 좋겠다고 생각되어 부사수인 혜지를 데리고 나왔다. 물론 출장지가 부산까지의 장거리 출장이라 혼자 운전하며 가기엔 심심하기도 했다. 이런저런 이유로 혜지와 함께 도란도란 이야기를 하며 업무시스템에 대해 설명해 주던 중 이연옥 과장에게 전화가 와 스피커폰으로 전화를 받았다.

"네~안녕하세요~"

"대리님~이런 일로 전화드려서 죄송해요. 이번에 저희 팀에서 추진하고 있는 일이 있는데 대리님 도움이 필요해서 이번에만 도와주실 수 있을까요?"

"네~그럼요 자료 조사해서 내일 오전까지는 넘겨 드리겠습니다. 다음에 우리 막내도 도움 줄 일 있으면 도와주세요~"

이때 혜지가 말했다.

"대리님은 어떻게 회사에서 모르는 일이 없어요? 타 부서 일도 대리님이 다 하시나 봐요"

난 웃으며 대답했다.

"일을 다 하는 건 아니고 업무 경계선은 물론 존재하지만 일을 하다 보면 다른 부서의 일도 알게 되고 가끔은 서로 도움을 줄 수 있는 것들이 있으니까"

"대단해요, 저도 대리님처럼 얼른 성장해서 모두에게 인정받고 싶어요!"

"아니야 다른 부서일을 꼭 해줄 필요는 없어. 업무의 중앙선을 넘나 든다는 건 힘든 일이니까. 아직 혜지님이 하기엔 일러요. 단, 하나만 명심해. 이 회사에 너를 지켜줄 사람은 아무도 없어. 그렇지만 널 응원하고 지지해 줄 사람은 있어. 그리고 그게 나야."

"아..네!"

내가 말하고서도 조금은 쑥스러웠지만, 나의 전임자가 떠나면서 해주었던 말을 몇 년간 되새이던 나는 다음에 혹시라도 내가 누군가를 알려주는 입장이 된다면 꼭 그렇게 차가운 곳만은 아님을 알려주고 싶었다. 이제 나는 한 회사에서 5년을 넘게 근무해 가며 오래 일한 만큼 나에게도 여유가 생겨 업무 중 중앙선을 넘어오는 일들이 있어도 난 예전에 길에서 마주친 성난 아저씨처럼 굴지도 않았으며, 겁쟁이처럼 사과만 하지도 않았다. 처음에는 마찰이 컸던 타 부서의 직원들과의 관계도 원만해졌으며 서로 업무의 중앙선을 넘나들며 업무역량을 키워냈다. 그리고 난 이제 다시 새로운 도전을 하기 위해 고군분투 중이다.

졸
혼

신
지
원

영숙은 수철과 확 헤어져 버릴까 하는 생각을 수천, 수만 번
쯤 했다.

삼십 년이 넘는 결혼 생활 동안 둘은 하루라도 조용히 지나간
날이 없었다. 오늘도 영숙은 수철에게 잔소리를 쏟아 부으며 아
침을 시작했다.

"당신, 어젠 또 몇 시에 들어왔어?"

"11시."

"11시는 무슨! 내가 12시까지 안 자고 기다리고 있었는데! 아
니, 늦으면 늦는다고 전화라도 하던가!"

여느 때와 마찬가지로 수철은 머쓱하게 웃으며 밖으로 나갔
다. 항상 영숙이 불같이 화를 쏟아내도 수철은 대충 대답을 얼

버무리고 나가버렸다. 그럴 때면 '차라리 치고 박고 싸우기라도 하면 좋겠다' 하는 이상한 감정이 부글부글 피어오르며 이가 기어 다니는 듯 온몸이 간지러워 견딜 수 없었다.

어느 순간부터 수철은 영숙과 눈도 마주치지 않고 소리 없이 살금살금 다녔다. 그 모습을 볼 때면 또 무슨 잘못을 했길래 저러나 싶어 영숙의 눈매가 절로 날카로워졌다. 자신이 잡아먹는 것도 아닌데 항상 저렇게 겁을 슬슬 내니, 같은 사람으로 보긴 하나 싶기도 했다.

영숙은 50대에 접어들면서부터 누가 있든 없든 상관하지 않고 수철에게 고래고래 소리를 질렀다. 특히 수철의 세 번째 외도를 안 뒤부터 영숙의 화살을 가로막을 수 있는 장애물은 없었다.

"이 서방 온 지가 언젠데 이제 와? 이런 날 일찍 좀 들어오면 어디 덧나? 지금 시간이 몇 시야!"

"어, 어……. 이 서방, 왔나?"

"오랜만에 뵙습니다, 장인어른."

이 서방 얼굴을 봐서 영숙은 애써 뒷말을 삼켰다.

영숙은 한바탕 소리를 지르고도 화가 풀리지 않으면 못 다한 말을 장문의 문자로 보내기도 했다. 수철이 확 기가 눌려 미안하다는 소리를 하기 전까진 도저히 화가 풀리지 않았다.

"네 엄마 성질은 대체 왜 저 모양이냐? 집에 들어오면 숨이 막힌다."

"아빠, 엄마 성격 알잖아요. 그냥 미안하다고 해요."

딸 소정이 아빠와 둘이 하는 이야기를 들은 날, 영숙의 눈망

울에 비창한 빛이 돌았다. 그래도 자식만은 내 편일 줄 알았는데 제 아빠 말에 맞장구치는 걸 보니 가슴이 텅 빈 것 같았다.

"엄마, 화 좀 그만 내. 그러면 엄마만 힘들어."

"내가 지금 화 안 나게 생겼어? 네가 내 상황 돼 봐. 화가 나나, 안 나나."

예전에는 엄마 말이 다 맞다고 말하며 안겨왔는데 제 아빠 험담을 하는 게 싫어서 그런지 어떤 때에는 오히려 영숙을 가르치려 들기도 했다.

영숙은 다들 수철과 같이 살지 않으니 어떤 사람인지 몰라서 저러는 거라 생각했다.

생각해 보면 수철은 젊을 때부터 참 무심한 남편이었다. 소정을 가졌을 때 딸기가 먹고 싶다고 해도 들은 척 만 척 술에 취해 들어오고, 산통을 겪을 때도 괜찮냐는 말 한마디를 할 줄 모르는 그런 남자였다. 기념일은커녕 생일에도 축하한다는 말 한마디 해준 적 없었다.

그런데 또 바깥에서는 어찌나 잘하고 다니는지 수철은 어딜 가나 인기가 많았다. 차라리 의리를 외치며 친구들 일이라면 물불 안 가리고 달려드는 사람이었으면 '남자들이 다 그렇지' 하고 넘겼을 것이다. 그런데 수철의 인간관계는 남자고 여자고 가리지 않았다. 여자관계가 어찌나 복잡한지 젊을 때에는 동네 여자들 중 김수철과 데이트 한 번 안 해본 여자가 없을 정도였다. 딸 소정이 생기지 않았더라면 영숙이 수철과 결혼할 일은 절대 없었을 것이다.

젊을 때에는 이 남자를 단단히 뜯어고쳐 내 남자로 만들어 버리겠다는 비장한 결심을 한 적도 있었다.

하지만 수철의 바람기는 도무지 고쳐지지 않았다. 영숙에게 걸려서 혼쭐이 난 것만 해도 벌써 다섯 손가락이 넘었다. 사고방식이 조금만 개방적이었어도 아주 '쿨하게' 이혼장을 날렸을 텐데 영숙은 이혼이라는 건 꿈도 못 꾸는 옛날 여자였다. 그래서 수철이 바람피우는 걸 알아도 버럭버럭 화를 내고 단식 투쟁이나 할 뿐, 과감하게 갈라서지 못했다.

그렇게 30년이 넘는 시간 동안 영숙의 마음속에는 끊임없이 생채기가 났다. 그리고 생채기가 늘어날수록 영숙의 신경은 날카로워졌다.

소정은 아이를 낳은 후 주말마다 친정을 찾았다. 말로는 엄마, 아빠가 보고 싶어서 왔다면서 집에 도착하면 곧바로 침대에 누워 일어날 줄을 몰랐다. 하지만 이렇게 쉬게라도 해주지 않으면 영영 발걸음 하지 않을 것 같아 영숙은 몸살이 나도 꾹 참고 손주들을 돌봤다.

이번 주에도 어김없이 소정이네가 왔다. 자식들을 출가시킨 뒤 우울하기만 했던 영숙의 삶에서 손주들의 방문은 정말 중요한 이벤트였다. 주말만큼은 영숙의 좁아졌던 미간이 팽팽하게 펴지고 입꼬리도 부드럽게 올라갔다. 하지만 아이들이 폭풍 휘몰아치듯 주말을 휘젓고 가버리면 평생 살던 집이 산골짜기 절간처럼 느껴졌다. 매주 겪는 일인데도 영숙이 느끼는 외로움은 덩치가 커지기만 했다.

"하여튼 유난이라니까."

"뭐? 유난이라니? 애들이 천년만년 올 줄 알아? 조금만 더 크면 이제 할머니 집에 오지도 않는다고. 뭐가 중요한지를 몰라. 철 좀 들어."

영숙은 사소한 일에도 편 들어주는 법이 없는 수철이 너무 야속했다.

***

"수철 형님, 어디십니까? 여기 사거리 호프집인데 한 잔 하실래요?"

"좋지. 바로 나갈게."

휴대전화 너머로 왁자지껄한 소리가 들렸다. 소파에 누워 티비 채널을 이리저리 돌리던 수철은 신이 나서 나갈 준비를 했다. 막 저녁상을 다 차렸는데 나간다고 하니 영숙의 눈이 단번에 뾰족해졌다.

"이 시간에 어딜 나간다고 그래?"

"아는 동생이 술 한 잔 하자고 해서. 금방 갔다 올게."

"아는 동생 누구? 저녁 다 차렸는데 그럼 이건 어쩌고?"

"얼굴만 비추고 올게."

영숙의 말이 끝나기도 전에 수철은 후다닥 현관을 나섰다.

기껏 상을 다 차렸는데 쳐다보지도 않고 저렇게 나가버리니 성의를 무시당한 것 같아 자존심이 상했다. 영숙은 저런 인간

뭐가 예쁘다고 밥을 차렸나 싶어 싱크대에 국을 부어버렸다. 혼자 밥 먹는 것도 하루 이틀이지 남편이 있어도 매일 혼자이니 서럽기만 했다.

수철을 붙잡고 화를 쏟아내고 나면 후련해지는 건 딱 그 순간뿐이었다. 영숙이 화를 내도 미안하단 말 한마디 없이 무시하고 나가버리기 일쑤이니 더 답답해질 때가 많았다. 그러면 영숙은 몇 날 며칠 동안 잠도 제대로 못 자고 밥도 잘 못 먹었다.

수철은 밤만 되면 정신이 말똥말똥해지는 것 같았다. 매일 저녁마다 술을 마시고 늦게 들어오니 아침에 일찍 일어날 수 있을 리가 없었다. 반대로 영숙은 유독 잠이 많아서 8시만 되면 꾸벅꾸벅 졸았다. 그리고 동이 트기도 전에 일어나 집안일을 시작했다. 둘이 생활 패턴이 너무 다르니 한 집에 살아도 마주칠 일이 없었다.

젊었을 때에는 남자들이 다 그렇지 싶어 수철이 술을 마셔도 참곤 했지만 이 나이를 먹고도 가족보다 친구와 함께 있는 걸 좋아하는 걸 보니 정말 마음에 들지 않았다. 처자식 귀한 줄 모르고 저렇게 밖으로만 도는 수철이 너무 미웠다.

***

영숙은 요즘 잠에 들 수가 없었다. 콧노래를 흥얼거리며 향수 냄새를 풍기고 다니는 수철의 모습이 눈에 밟힌 까닭이다.

수상한 점은 그뿐이 아니었다. 수철은 자꾸 흘끔흘끔 눈치를 살피고 시키지 않아도 알아서 쓰레기를 버리며 집안일을 거들었다. 같이 산 세월이 세월인지라 영숙은 수철에게 또 여자가 생겼음을 감지했다. 화장실에 갈 때도 휴대전화를 들고 가는 모습은 영숙에게 확신을 심어줬다.

오늘따라 수철이 평소보다 과음을 하고 들어왔다. 영숙은 이때다 싶어 몰래 수철의 휴대전화를 들고 나왔다. 혹시나 수철이 깨면 어쩌나 싶은 불안감 때문에 영숙은 방문을 흘끔거리며 손으로는 부지런히 화면을 내렸다. 순간 멈칫하던 영숙의 손길이 다시 거꾸로 되돌아갔다. 저장되지 않은 번호로 '보고 싶다, 사랑한다'라고 문자를 전송한 게 보였다. 영숙은 순간 눈앞이 흐려졌다. 누가 뾰족한 바늘로 머리를 콕콕 찌르는 것 같았다.

수철은 손주들이 와도 5분마다 휴대전화를 확인하고 밖에 나가고 싶어 엉덩이를 들썩거렸다.

매주 친정을 들락날락하다 보니 소정도 아빠가 이상하다고 느낀 듯했다.

"엄마, 아빠 왜 저래? 아빠 왜 저렇게 나가고 싶어서 안달 난 것 같지?"

"난들 아니?"

"애들하고 놀면서도 정신이 영 딴 데 팔려있는 것 같아. 수상한데……."

"아빠한테 별 소리를 다 한다."

잠시 뭔가를 생각하던 소정의 눈에 놀란 빛이 돌았다.

"설마 또 여자야?"

수철의 바람기는 워낙 유명한지라 소정은 단박에 상황을 파악했다.

"아무래도 그런 것 같다. 지 버릇 개 못 준다고 어떻게 저 나이를 먹고도 저러는 건지."

"에이, 설마. 손주도 있는데 이 나이에?"

"그럼 엄마가 없는 소릴 하겠어? 엄만 이제 네 아빠 뒤통수만 봐도 무슨 생각하는지 다 알아."

"아니, 나이가 몇인데 아직도 그래? 애들 보기 부끄럽지도 않나?"

"일단 넌 모른 척 해. 엄마가 알아서 할 테니까."

영숙은 애써 초연한 척하며 딸을 달랬다. 어릴 때처럼 당장 이혼하라고 소리치진 않았지만 소정도 많이 속상한지 얼굴에 그늘이 졌다. 차라리 감쪽같이 숨기기라도 하던가, 소정까지 알 정도로 티를 내는 수철이 너무 야속했다.

사실 영숙은 수철이 바람을 피운다는 의심이 든 날부터 잠도 제대로 자지 못했다. 평소에는 해가 지면 바로 곯아떨어지곤 했는데 이제 수철이 들어오는 걸 확인하지 않고선 도무지 잠에 들 수 없었다.

밤새 잠을 설친 영숙은 아침도 차리지 않고 새벽같이 집을 나왔다. 며칠째 밤잠을 설쳤더니 머리가 무거웠다. 지하철역에 앉아 있으니 휴대전화 보는 사람, 조는 사람, 밖을 내다보는 사람들이 눈앞을 휙휙 지나갔다.

속이 너무 답답한데 친구한테도 자식한테도 말하기 부끄러웠다. 이 나이를 먹고도 바람난 남편을 어쩌지 못해 애만 태우는 신세가 한심했다.

영숙은 자신이 어느 곳을 배회하고 있는 것인지 자신도 알지 못했다.

영숙은 결국 언니 정숙에게 전화했다.

"언니, 이 서방 또 바람났어. 어쩌지?"

"어휴, 확실한 거야? 한두 번도 아니고 이게 무슨 일이라니."

"집에 있기도 싫어. 저 인간 숨소리만 들어도 화가 치밀어 올라."

"그럼 기분 전환 겸, 우리 집에 와서 며칠 있어 봐."

영숙은 그 길로 짐을 싸 춘천에 있는 정숙의 집으로 갔다. 정숙은 오랜만에 동생이 와서 신이 났는지 이리저리 바쁘게 영숙을 끌고 다녔다. 영숙도 정숙과 함께 놀러 다니고 이야기를 하다 보니 숨통이 트이는 것 같았다.

"이렇게 나오니까 좀 낫지? 너도 집에서 김 서방만 기다리지 말고 친구들하고 놀러도 다니고 그래. 우리 집에라도 자주 오던가. 아니면 화병 생겨."

"알았어. 이제 나도 보란 듯이 놀러 다닐 거야."

"김 서방이랑 정 못 갈라서겠으면 차라리 졸혼을 해. 연예인 그 누구야……. 그 노래 잘하는 사람. 여하튼 그 사람도 졸혼 했다더라."

"졸혼이 뭐야?"

"결혼 졸업이래. 이혼만 안 하고, 그냥 각자 따로 사는 거."

정숙은 미리 준비라도 한 듯 졸혼 이야기를 꺼냈다.

"에이, 말도 안 돼. 남사스럽게 이 나이에 어떻게 따로 살아?"

"내 친구 순영이 알지? 걔도 졸혼했다더라. 다들 쉬쉬해서 그렇지 생각보다 많아."

이상한 소리 하지 말라며 정숙의 말을 흘려버렸지만 영숙의 머릿속에서는 졸혼이라는 글자가 사라지지 않았다.

영숙은 혼자 있을 때 몰래 검색창에 '졸혼'을 찾아봤다. 이혼하지 않고 각자의 삶을 사는 새로운 결혼 형태라고 나왔다. 생각보다 괜찮아 보였다. 남보다 못한 관계로 한 집에 사느니 차라리 따로 사는 게 나아 보였다. 적어도 저녁을 차려놓고 오지도 않는 남편을 기다리다 식사 때를 놓치는 일은 없을 것 같았다.

정숙의 집에 간 지 사흘째 되던 날, 영숙과 정숙은 식사 시간을 훌쩍 넘기고서야 집에 도착했다.

"처제, 이제 와? 재미있게 놀았어? 어서 저녁 먹자."

형부 영훈이 사람 좋은 미소를 지으며 말했다. 저녁을 먹고 셋이 나란히 앉아 오늘 있었던 일을 이야기하는데 갑자기 영숙의 눈에 눈물이 차올랐다. 이 나이가 되면 다들 남보다 못한 관계로 사는 거라고 생각했는데 언니네 부부를 보니 그것도 아닌 것 같았다.

집을 비운지 며칠이 지났는데도 잘 있냐는 연락 한 통 없는 수철의 행동을 보니 마누라가 나가서 죽든 말든 관심도 없는 것 같아 괘씸한 마음만 더 커졌다.

***

닷새 만에 돌아온 집은 엉망진창이었다. 그동안 청소기 한 번 제대로 안 돌린 것인지 곳곳에 먼지가 쌓인 게 보였다. 영숙은 짐을 풀기 무섭게 대청소부터 시작했다. 세탁실에 빨래가 한가득 쌓여있고 냉장고는 열어보지도 않은 것인지 해두고 간 반찬이 그대로 남아 있었다. 역시 수철은 자신이 없으면 혼자 밥도 제대로 챙겨 먹을 줄 모르는 사람이다 싶었다.

영숙이 없었던 며칠 동안 빈자리를 느낀 것인지 웬일로 수철도 집에 일찍 들어왔다.

"재미있었어? 꽤 오래 있다 왔네."

"응."

"오늘 반찬은 뭐야?"

"소고기국. 집에 청소기라도 한 번 돌리지. 집 안 꼴이 이게 뭐야?"

"허허. 배고프다. 밥 먹자."

수철은 그간 굶고 다닌 것인지 허겁지겁 밥을 떠먹기 시작했다. 이쯤이면 마누라 귀한 걸 깨달았겠지 싶어 영숙은 내심 수철이 조금이라도 달라지길 바랐다.

영숙의 기대가 무색하게도 며칠 지나지 않아 수철의 나쁜 행실이 다시 시작됐다. 오늘은 새벽 1시가 넘었는데도 전화도 받지 않고 집에 들어오지도 않았다. 환갑이 넘어서 누구랑 어디서 이렇게 술을 마시고 놀 수 있는 건지 이해가 되지 않았다. 혹시 그 문자 속의 여자와 함께 있는 건 아닌가 하는 불쾌한 생각들이 불쑥불쑥 일어났다.

영숙은 선잠에 들었다 화들짝 놀라며 눈을 떴다. 창문으로 들어오는 불빛이 점점 완연해졌다.

어느새 비가 토독토독 떨어지고 있었다. 돌연 온갖 안 좋은 뉴스들이 떠올랐다. 혹시 수철이 술에 취해 어디 넘어져 있는 건 아닌가 걱정이 됐다.

기분이 한참 오락가락 하던 중, 현관문에 달린 종이 딸랑거렸다. 수철이 살금살금 들어오는 모습이 머릿속에 그려졌다. 영숙은 반사적으로 안도의 한숨이 나왔다. 동시에 비밀번호를 치고 들어올 정신은 있으면서 전화 한 통 하지 않은 수철에게 화가 났다. 누구는 걱정이 돼서 잠도 못 자고 기다리는데 누군 부어라 마셔라하며 시시닥거렸을 걸 상상하니 속이 부글부글 끓었다.

정말 확 헤어져 버릴까 싶은 생각이 들었다. 하지만 수철이 자신의 시야에서 벗어나 고삐 풀린 망아지처럼 놀러 다닐 걸 생각하면 도저히 용납이 되지 않았다. 헤어지는 건 수철에게만 좋은 일이지 자신에게는 득이 될 게 전혀 없었다. 게다가 이 나이를 먹고 혼자 살면 사람들이 얼마나 손가락질할까 싶어 선뜻 용기가 나지 않았다.

영숙은 혼자 결정할 게 아니라 자식들의 의사도 물어봐야겠다고 생각했다.

"소정아, 얼마 전에 내가 라디오에서 졸혼이란 걸 들었는데……."

소정이 말 중간을 자르고 들어와 반문했다.

"졸혼? 따로 사는 거 말하는 거지? 엄마 나이 대면 많을 만도 하지."

"그래? 그럼 엄마도 해볼까?"

"엄마가? 잘 생각했어. 저번에도 말했잖아. 난 이혼도 찬성이야. 오빠도 그럴 걸. 엄마는 아빠한테서 좀 벗어나야 해. 아빠는 엄마한테 관심도 없는데 왜 그렇게 신경 써? 엄마가 너무 괴로우니까 차라리 따로 사는 게 나을 수도 있어."

아들 우정은 한 술 더 떠서 자신의 집에 와서 지내는 건 어떻겠냐는 제안까지 했다. 반대할 줄 알았던 자식들이 긍정적으로 나오니 졸혼에 대한 거부감이 한층 줄어들었다.

사실 지금도 따로 사는 거나 다름없었다. 한 방을 쓰지도 않았고 같이 밥을 먹지도 않았다. 자식들이 오면 일, 이주에 한 번 정도 같이 식사하는 게 다였다. 그마저도 손주들 뒤치다꺼리를 하다 한 숟가락 뜨려고 하면 수철은 자리를 뜨고 없었다. 수철과 마주 보고 식사를 한 게 언제인지 기억도 나지 않았다.

같이 사는 한, 영숙은 수철에게 관심을 끌 수 없었고 수철은 영숙을 돌아볼 마음이 없었다. 이대로 더 살다간 화가 쌓여 큰 병에 걸릴 것 같았다.

다음날 아침, 영숙은 중요한 할 말이 있다며 수철을 깨웠다.

"아, 왜? 무슨 일인데 그래?"

한참 고개를 숙이고 있던 영숙이 비장한 결심을 한 듯 고개를 들며 말했다.

"우리 졸혼해. 더 이상은 이렇게 못 살겠어. 차라리 따로 사는 게 낫지, 허구한 날 연락도 없이 술이나 퍼마시고."

수철이 고개를 좌우로 흔들며 하품 섞인 목소리로 물었다.

"갑자기……. 무슨 소리야?"

"딴 여자를 만나든, 술을 마시든 이젠 내가 안 보는 데서 하라 이 말이야. 집 얻어 줄 테니까 나가."

"졸혼이 뭔데?"

"달라지는 건 없고 집만 따로 사는 거야. 당신, 내가 몇 시에 들어올 거냐고 전화만 해도 몸서리를 치잖아. 이제 그럴 일 없이 각자 알아서 살자고."

영숙은 수철의 반응을 살피며 설명을 이어나갔다.

"이 서방이랑 새아기 알면 불편하니까 명절에는 지금처럼 아무렇지 않게 집에서 모이면 돼. 대신 평소에는 당신이랑 나랑 아예 서로 상관하지 말고 떨어져서 사는 거야."

수철의 표정이 그제야 조금 풀어졌다. 잠시 동안 아무 말 없이 생각에 잠겨있던 수철은 이내 고개를 끄덕였다.

영숙은 자신은 몇 날 며칠을 고민한 문제를 그 자리에서 단번에 승낙하는 수철의 모습을 보니 입안에서 쓴 침이 고여 나왔다.

수철은 일평생 스스로 밥도 빨래도 해본 적 없는 옛날 남자였다. 차려주는 밥상을 받아먹기만 하던 사람이라 혼자 밥도 제대로 못 먹을 게 안 봐도 뻔했다. 그런데도 저렇게 망설임 없이 승낙하는 걸 보면 수철은 생각만큼 영숙을 필요로 하지 않는 것 같았다.

영숙은 찬물을 뒤집어쓴 듯 몸이 싸늘해졌다.

내심 신나서 콧노래를 부를 수철을 생각하니 가슴이 묵직해졌다. 하지만 남은 세월마저 수철이 언제 들어오나, 누굴 만나나 의심하고 괴로워하며 살 순 없었다. 영숙은 그 모습이 너무 선명하게 눈앞에 그려져 눈시울이 뜨거워졌다.

영화 필름처럼 지난 30년이 눈앞에 스쳐 지나갔다.

영숙은 이런저런 일들을 가슴에 그리며 저녁거리를 준비했다.

다시
원동역

유
희
수

그날은 유난히도 행복했다.

돌이켜 생각해보면 행복이 주는 안도감에 방심하면 안 됐었
다.

조금은 낡은 듯한 기차에 우리 가족은 몸을 실었다. 남편과
나, 그리고 6살과 7살난 우리 아이들도 함께였다. 아이들은 각
자 좋아하는 포도맛, 수박맛 젤리를 우물우물 씹으면서 쫑알쫑
알 거렸다.

"엄마 기차 타러 또 오니까 좋다. 오늘도 꽃이 많이 폈을까?"

"응, 많이 많이 펴있으면 좋겠다."

"맞아, 엄마 작년에 갔을 때도 꽃이 많았지. 꼭 팝콘들이 나무
에 핀 것 같았어!"

"팝콘 먹고 싶어 아빠!"

"아빠는 호떡 먹고 싶다. 호떡 팔았으면 좋겠네."

재잘거리는 아이들을 챙기며 남편과 눈이 마주쳤다. 남편은 부드러운 미소를 지었고 나도 함께 미소를 지었지만 왠지 울 것만 같은 기분이 들어 창밖으로 눈길을 돌렸다. 창 밖에 펼쳐진 넓은 낙동강은 작년과 똑같았지만 지금의 우리는 그때의 우리와 많이 달라져 있었다.

1년 전 이맘때 추운 겨울의 기세도 사그라들고 봄 기운이 완연하게 느껴지던 3월, 푸른빛의 유리처럼 투명한 하늘에 뭉게구름들이 떠 있고 두 볼에 닿는 바람에는 온기가 느껴졌다. 모처럼 가족 나들이를 가기로 한 날인데 날씨까지 도와주니 너무나 기분 좋은 아침이었다.

탈 것을 좋아하는 아이들을 위해 기차를 타고 꽃구경을 가기로 했다. 우리는 기차 시간에 맞춰서 역에 도착했고 설레이는 마음으로 무궁화호에 올라탔다. 아이들은 오랜만에 타는 기차에 들떠서 가는 내내 보채지도 않고 여정을 즐겼다. 많이 의젓해진 아이들을 보면서 남편과 나는 이제 여행을 다닐만 하겠다고 생각했다. 아이들과 함께 포도맛, 수박맛 젤리를 나눠먹으며 소소한 행복을 입안 가득 느꼈다. 지루해질 때 즈음 기차는 원동역에 멈춰 섰다.

원동역은 생각보다 작았지만 낙동강을 끼고 있어 운치가 있었다. 오른쪽으로는 잔잔한 강이 햇빛을 받아 반짝반짝 기분 좋게 빛나고 매화꽃밭까지 잘 짜여진 긴 데크가 깔려있었다. 남편과 나는 아이들 손을 잡고 데크를 따라 걸었다. 평소라면 걷기 싫다고 징징거렸을 아이들도 오늘은 즐겁게 걸어주었다. 10여분 정도 걸어가니 매화꽃나무가 심어진 순매원이 나타났다. 키 작은 매화나무들이 쭉 심어져 있고 그 작은 나무에 올망졸망 매달린 매화꽃이라니, 하얀색 분홍색 물감을 뿌려놓은 듯 아름다운 광경에 감탄이 절로 나왔다.

"우와! 엄마, 너무 예뻐!"

"응, 그렇지? 너무 너무 너무 예쁘다 정말"

꽃 구경에는 먹거리도 빠질 수 없듯이 주황색 천막을 두른 포장마차들이 줄지어 있었다. 평소라면 감성을 헤치는 주황색 천막이 마음에 안들었을 텐데 오늘은 그것마저 정겨웠다.

아이들이 좋아하는 뜨끈한 오뎅과 국수와 파전을 샀다. 호떡을 좋아하는 남편은 호떡을찾지 못해 못내 아쉬워했지만 매화꽃 나무 아래 평상에서 먹는 점심은 그야말로 꿀맛이었다.

오늘은 불어오는 바람마저 행복이 묻어났다. 예쁜 꽃 아래 사랑하는 가족과 맛있는 음식이라니!

'아! 매일 오늘 같았으면 좋겠다. 너무 행복해'

배를 든든히 채운 우리 가족은 매화꽃 나무 아래를 마음껏 누비면서 행복을 담은 사진도 잔뜩 찍었다.

"엄마 아빠 내가 찍어줄게!"

"어 그래 그래, 여보 이리와!"

남편과 나란히 서서 사진을 찍는 순간 남편의 볼에 쪽! 하고 입을 맞췄다.

"으악, 엄마 아빠 뽀뽀한다!"

"그럼 엄마 아빠는 사랑하는 사이니까 뽀뽀하는 거지, 너네도 이리와. 엄마가 뽀뽀해줄게!"

"으아 싫어! 도망가자"

"어딜 도망가. 잡으러 간다아!!!"

돌아오는 기차까지 행복을 끌어와 우리들은 꽃처럼 활짝 핀 얼굴로 집으로 왔다. 그날은 너무나 평온했고 어두운 감정은 발 디딜 틈이 없었다. 햇빛이 너무 강하면 그늘이 생기지 않는다는 것을 그때는 몰랐다.

그날이 우리 가족의 마지막 여행이 될 수도 있었다는 것을…

3일 뒤, 아이들을 유치원에 보내고 집안일을 다 끝낸 뒤 한 숨 돌리려는 때에 출근한 남편의 번호로 전화가 걸려왔다.

"응, 자기야 왜?"

"아, 여보세요. 자기야 여기 새마음 병원 응급실인데 좀 올 수 있어?"

"응?...왜? 응급실? 여보! 다쳤어?"

"아 그냥 살짝 접촉사고가 났어. 많이 다친 건 아닌데 혼자 집에 가기 힘들 것 같아서..."

"얼마나 다쳤길래? 내가 지금 바로 갈게."

허겁지겁 택시를 잡아타고 병원으로 갔다. 차로 10분 거리에 있는 병원이지만 가는 길이 너무 멀게만 느껴졌다. 남편은 많이 다치지 않았다고 했지만 목소리가 심상치 않았다.

불안감에 요동치는 심장은 입 밖으로 튀어나올 듯했다.

"여기 이한세 씨 어디 있어요?"

불안감에 떨리는 목소리를 겨우 내어 간호사를 붙잡고 물어봤
다.

"아, 잠시만요."

"여보, 여기야!"

커튼이 살짝 걷히고 목에 반깁스를 하고 있는 남편이 나를 불
렀다.

"여…보…어떻게 된 거야?"

"접촉사고가 살짝 났어. 나는 괜찮아, 이제 집에 가자."

"아니, 괜찮아? 치료는? 뭐 검사 더 해야 하지 않아?" "응, 다
했고 예약도 잡아뒀어."

"아, 너무 놀랬어 여보, 정말. 많이 안 다쳐서 다행이야! 수납
하고 올게. 잠깐 기다려."

남편을 잠시 혼자 두고 원무과로 갔다.

"이한세 씨 수납할게요."

"네, 앞쪽에 카드 꽂아주시면 되구요, 신경정신과 예약은 전화
로 잡으시면 됩니다."

"네? 신경정신과요? 거기는 왜…오늘 교통사고가 나서 왔는
데…"

"아, 그렇긴 한데요…환자분이랑 이야기 나누시면 될 것 같아
요."

"일단 알겠습니다."

주섬주섬 옷을 입고 일어나는 남편을 부축하며 물었다.

"여보, 신경정신과 예약을 하라던데… 무슨 일이야?"

"아, 그거…일단 집에 가면서 얘기해줄게."

"으응. 그래 가자, 맞다! 자기 차는?"

"아, 차는 일단 수리 보냈어. 가로등을 박아서 범퍼를 갈아야 해서… 택시 타고 가자."

돌아오는 택시 안에서 남편의 이야기를 들을 수 있었다.

"아침에 외근을 나갔다가 들어오는데 갑자기 숨이 안 쉬어지는 거야. 황사 때문에 마스크를 계속 끼고 있어서 그런가보다 했는데, 마스크를 벗어도 똑같은 거야. 갑자기 눈앞이 캄캄해지고 이대로 죽는 건가 싶었어. 차를 세우려고 핸들을 꺾다가 가로등에 박았고 잠깐 정신을 잃었었어."

"…"

"사람들이 119를 불러줘서 구급차가 왔는데 정신이 드는 야. 다행히 목이 좀 불편한 거 말고는 크게 다친데는 없는데 또 숨이 안 쉬어지는 거야. 그래서 뭐 이것저것 몸에 붙이고 검사를 했는데 정신과에 가서 검사를 하는게 좋을 것 같다고 하더라구."

"그래서 정신과 검사는 한 거야?"

"아니, 예약이 꽉 찼대. 그래서 두 달 뒤에나 가능하데."

"응급환자인데도 안된대?"

"그러니까 말이야. 근데 지금은 괜찮아. 숨도 잘 쉬어지고 아까 머리를 부딪혀서 좀 어지러운 거 말고는 없어."

"진짜? 나 때문에 괜찮은 척 안해도 돼 여보, 진짜 괜찮아?"

"응 그렇다니까, 머리가 좀 어지럽길래 혼자 집에는 못갈 것 같아서 당신 불렀어. 일단 집에 가서 좀 쉬고싶다."

"그래, 그러자. 여보 너무 놀랐겠다. 큰일날 뻔 했는데 정말 다행이야."

"여보, 나 집에 가면 당신이 해주는 호떡 먹고 싶다. 해줄 수 있어?"

"응 그럼. 가서 바로 만들어줄게."

집으로 돌아오자마자 호떡 믹스를 꺼내서 정성껏 만들었다. 평소에 아끼던 비싼 접시를 꺼내서 호떡을 담고 남편을 불렀다.

"여보, 와서 호떡 먹어."

"벌써 다 만든 거야?"

식탁에 나란히 앉아 남편이 호떡을 먹는 모습을 지켜보는데 한 입 베어문 그의 얼굴이 좋지 않다.

"왜 그래 여보?"

"여…보…나…1…1..9…ㅈ"

베어 문 호떡을 삼키지도 못하고 숨을 쉬지 못해 헐떡이는 남편을 보자 덜컥 겁이 났다.

"악! 여보 왜 그래? 숨이 안 쉬어져? 어떡해. 잠시만"

떨리는 손으로 겨우 119를 눌렀다. 구급차를 보내줄 테니 그 동안 봉투를 대고 숨을 쉴 수 있도록 해보라고 했다. 남편에게 봉투를 주면서 천천히 숨을 쉬어보라고 했지만 더 힘들어했다.

"왜 빨리 안 오는 거야."

애타는 마음으로 119를 기다리는 동안 남편을 바라보는 나는 그 자리에서 까맣게 타버릴 것만 같았다.

1시간처럼 느껴지던 10분이 지나고 구급차가 도착했는데 남편은 구급차를 보자마자 마음이 편안해지고 숨이 쉬어진다고 했다.

"아…아까는 진짜 죽을 것 같았는데 구급차오니깐 괜찮아졌어요. 죄송해서 어쩌죠?"

"네, 혹시 이런 증상이 또 있으셨나요?"

"네, 오늘 오전에 운전 중에 그래서 응급실에 갔었어요."

"그러면 가까운 신경정신과에 가서 검사를 받아보세요. 공황장애일 수도 있어요."

"네? 공황장애요? 아, 그런 게 왜….감사합니다."

공황장애.

구급차를 돌려보내고 바로 검색을 해봤다.

[공황 장애란 갑자기 극도의 두려움과 불안을 느끼는 불안 장애의 일종입니다. 환자들은 심한 불안과 초조감, 죽을 것 같은 공포를 느끼고, 이와 함께 가슴 뜀, 호흡 곤란, 흉통이나 가슴 답답함, 어지러움, 손발 저림, 열감 등의 다양한 신체 증상을 경험합니다.]

호흡곤란, 죽을 것 같은 공포.

남편이 죽음을 느끼고 있다는 사실에 온 세상이 정전이 된 것처럼 눈앞에 깜깜해졌다. 거기다 좀 전에 내 눈앞에서 숨이 넘어가는 남편의 얼굴을 보는 것은 걱정을 넘어서 공포감까지 느껴졌다. 얼른 신경정신과를 검색했다. 다행히 가까운 곳에 병원이 있었고 나는 아이들 하원시간이 다가와서 남편을 혼자 병원에 보냈다. 남편을 보내고도 심란하여 멍하니 앉아있는데 그제야 눈물이 나왔다. 너무 놀라면 눈물도 나오지 않는다더니 이제 남편이 눈앞에 보이지 않으니 긴장이 풀려서 고였던 눈물이 흘러나왔다. 눈물 콧물을 닦아내니 아이들 하원을 알리는 알람소리가 울렸다. 아이들에게 애써 웃음 지으며 반기고 만들어둔 호떡을 간식으로 먹였다.

저녁 준비를 하는 동안에도 온통 신경은 남편에게 가 있었다. 된장찌개가 거의 다 끓여졌을 때 병원에 갔던 남편이 돌아왔다.

"여보, 병원에서 뭐래?"

"어… 공황장애래. 심전도 검사랑 교감신경 검사하는 거 여러가지 다 해봤어. 약 주더라. 약 먹으면 된대."

그 말을 하는 남편의 얼굴은 어쩐지 혼이 빠져있는 사람같았다. 나도 놀랐는데 본인은 더 놀랐겠지 하는 마음에 더 묻지 않았다.

그렇게 다음날이 되었고 어제의 일은 꿈만 같았다. 남편은 평소처럼 아침 일찍 일어나 회사에 가고 아이들을 유치원에 보내고 난 뒤 나는 집안일을 하고…달라진 게 있다면 평소보다 기운이 없고 말이 줄어든 남편이었다. 그리고 그 후로도 남편은 호흡 곤란이 찾아왔고 구급차가 오면 괜찮아지기를 몇 차례 반복했다.

남편은 신경정신과를 일주일에 한 번씩 다녔다. 약을 먹어 괜찮아지는 것 같았지만 편하게 잠을 자지 못했다. 약을 먹으니

식욕도 없어지고 잠을 자기가 힘들다고 했다. 남편은 그렇게

하루 하루 시들어가는 것 같았다. 남편 몰래 그가 먹는 약을 검색해보니 부작용에 '자살충동'이란 글자가 눈에 들어왔다. 그 글자를 본 이후에 나는 잠에 들면서도 혹시나 그가 13층 베란다에서 떨어지지는 않을까 하는 두려움에 떨었고 아침이 오면 눈뜨자마자 그를 살피곤 했다. 매일 매일이 살얼음판을 걸어가는 기분이었다.

차라리 내가 아팠으면 좋겠다고 생각했다. 소중한 사람의 고통을 옆에서 바라만 봐야하는 것은 정말 고문이었다. 아무것도 할 수 없는 내가 무기력하게 느껴졌다. 남편은 꾸준히 약을 먹어도 크게 나아지는 것은 없었다.

어느 날 밤 잠결에 느낌이 이상해서 눈을 떴다. 옆자리에 있어야 할 남편은 보이지 않았다. 휙 이불을 걷고 남편을 찾았다. 안방 베란다에 희끄무레한 형체가 서있었다.

"여…보?"

"…어…깼어?"

"거기서 뭐해?"

"아 그냥 잠이 안 와서…춥다 들어가자"

"그래, 여보 따뜻한 차 한 잔 줄까?

"어, 그래"

얼른 물을 끓여 캐모마일 티백을 담아 남편에게 건넸다.

"여보, 좀 어때?"

"그냥… 더 나쁘지도 더 좋지도 않아."

"…"

"나한테 왜 이런 일이 생겼을까 생각을 좀 해봤는데, 이 공황이 어쩌면 내 삶에 쉼표같은 느낌이 들기도 해. 가진 것 없이 시작해서 빨리 남들처럼 자리잡고 싶은 마음에 악착같이 일하고 돈만 번다고 내가 나를 너무 절제하고만 살았던 것 같아. 계속 참고 절제만 하니깐 이게 한 번에 폭발해버린 것 같아. 이번 기회에 내가 좋아하는 일이 뭔지 찾아봐야겠어. 그래서 말인데 나한테 시간을 좀 주면 좋겠어."

"…시간?"

"평일 저녁이랑 주말에 나 혼자 있을 시간말이야. 아직 아이들이 어려서 손이 많이 가겠지만 당신이 나를 좀 이해해줬으면 좋겠어."

"아…그래, 그래 여보. 애들은 내가 케어하면 돼. 그동안 자기 혼자서 너무 고생했잖아."

"이해해줘서 고마워." 나는 살짝 고개를 끄덕였다.

"… 우리에게 예전 같은 일상이 다시 올까?"

"오겠지. 전과는 조금 다르겠지만 또 다른 일상이 올거야."

잔 것 같지도 않은 밤을 보내고 다시 아침이 왔다. 남편과 아이들은 모두 각자의 자리를 채우러 가고 빈 집에 홀로 앉아 지원이에게 전화를 했다. 지원이는 나의 마음 속을 들여다 보는 것 같은 친구이기에 함께 대화를 하면 언제나 복잡하고 심란한 마음이 정리가 되곤 했다.

"지원아, 잘 지내?"

"그럼 넌 별 일 없지?"

"...그동안 좀 일이 있었어."

나는 남편에게 일어난 일을 지원이에게 모두 털어놓았다. 어제 밤에 베란다 앞에 서 있던

모습까지 전부.

"진작 연락하지. 너 너무 힘들었겠다. 그런데 너무 걱정하지마. 공황장애 요즘에 많다더라. 그냥 마음의 감기처럼 생각하면 된다고 하던데. 우리 옆집 언니도 공황장애잖아. 지금 몇 년째 정신과 약 먹고 있어."

언제나 남의 이야기는 멀고 나의 이야기는 손 끝이 저리도록 가깝기만 하다. 그동안 위로가 되던 지원이의 말들은 오늘은 내 귀에 닿지 못하고 튕겨져 나갈 뿐이었다. 흔한 병이라고 해서 쉽지 않은 병이 어디 있을까. 손 끝만 살짝 베어도 아프고 일상이 불편해지는 것을.

"그 언니는 남편이 장기출장을 자주 가는데 연년생에 독박육아 하면서 너무 스트레스를 많이 받은 거야. 그래서 밤마다 좀 불안한데, 그럴 때마다 맥주를 마시는데 요즘은 좀 많이 마시는 것 같긴 하더라. 너네 신랑도 스트레스 때문이래?"

"아마도 그렇겠지. 결혼하고 계속 외벌이였잖아. 도움 받을 곳도 없는데 매달 아파트 대출금 갚아야 하고 애들 밑에 돈도 많이 들어가니까 자기를 돌아볼 시간도 없이 앞만 보고 달린 것 같아. 내가 남편이 돈 벌어오는 걸 너무 편하게 받기만 한 것 같아서 미안하더라.

우리 남편 그렇게 힘들게 악착같이 살았는데 그 댓가가 공황장애라니…나 우리 남편한테 너무 미안해서 어떡하니.."

남편이 만들어준 그늘 아래에서 그저 태평하게 살아온 나 자신이 너무 한심하게 느껴졌다.

지원이와 전화를 끊고 나서도 그 자리에 한참 앉아있었다. 눈물이 흘러 나왔다. 눈물로도 남편에 대한 미안함과 자책감은 씻겨지지 않았다. 그렇다고 이렇게 계속 앉아 있을 수도 없는 일이다. 내가 할 수 있는 일을 찾아야 겠다는 생각이 들었다. 남편의 짐을 덜어 주기 위해, 남편에게 기대어있던 나 자신을 반듯하게 세우기 위해.

시간은 달라던 남편은 그렇게 매일 자신에 대해 탐구해나갔다. 먹고 사는 문제를 떠나 자신이 무엇을 좋아하는지, 무엇을 원하고 있는지를 매일같이 고민했다. 한 달 동안 치열하게 고민한 끝에 찾은 것은 자전거였다.

"나 어릴 때 자전거 진짜 잘 탔거든, 그 때는 아무 걱정없이 자전거만 있으면 하루종일 신나게 돌아다녔는데…지금 생각해보니 그때 너무 행복했던 것 같아. 그래서 자전거 타보려고." 어릴 때처럼 아무 걱정없이 페달을 굴려서 신나게 달리고 싶다고 말하는 그는 그동안 멍하게 꿈을 꾸다가 막 잠이 깬 사람처럼 보였다. 그렇게 몇 달 동안 주말마다 남편은 라이딩을 나갔다. 부적처럼 들고다니던 비상용 공황장애 약이 없어도 이제는 괜찮다고 했다. 몸을 쓰는 활동을 하니 밤에 잠도 잘 자게 되었다. 그렇게 공황도 우리의 일상 중에 하나가 되었다. 공황이 찾아오면 남편은 깊은 심호흡으로 마음을 다스렸고 나는 그런 그를 기다려주게 되었다.

조금씩 활기를 찾아가는 남편을 보니 나의 마음 속 불안들도 안정을 찾아갔다. 어느 날씨 좋은 주말, 그날은 아이들을 친정에 보내고 남편과 단둘이 가까운 수변공원을 찾았다. 오랜만에 데이트하는 기분을 즐기며 함께 자전거를 탔다. 살랑거리며 불어오는

바람과 쉼이 있는 여유로운 풍경들을 눈에 담으며 달렸다.

"여보 너무 좋다. 그동안 여보가 어떤 기분으로 자전거를 탔는지 나 알 것 같아."

"크! 역시 자기도 나랑 같을 줄 알았어. 경치를 즐기면서 타다 보면 진짜 걱정 근심은 싹 사라지고 머리 속까지 다 시원해진다니까."

엄지를 세우며 말하는 남편의 얼굴은 살짝 상기되어 있었고 그 어느 때보다 반짝거렸다.

시원한 물을 함께 나눠 마시며 짧은 휴식을 마치고 남편은 다시 자전거에 올랐다. 힘찬 발짓으로 페달을 밟으며 달려 나가는 남편의 모습에서 더 이상 시들었던 흔적은 찾을 수 없었다. 다시 피어난 남편은 누구보다 지금을 즐기고 있었고 자신 앞에 놓인 길을 누구보다 멋지게 밟아 나가고 있었다.

자전거와 함께 밝아졌던 남편은 추운 겨울이 오자 전처럼 라이딩을 할 수 없었다. 혹시나 또 우울이 찾아올까봐 걱정했지만 자신의 삶을 즐기게 된 후로 남편은 다시 흔들리더라도 완전히

부러지지 않을 만큼 유연해졌다.

남편에게는 자신의 삶이 얼마나 소중한지, 나에게는 남편이 얼마나 소중한지를 다시 깨닫게 해준 공황은 우리에게 선물같기도 하다. 당연한 것이 당연하지 않다는 것을 깨닫는 것이 얼마나 중요하고 또 쉽지 않은지 겪어보지 않은 사람은 알 수 없다.

추운 겨울이 지나가고 봄이 성큼 다가온 오늘, 우리 가족은 그렇게 다시 원동역으로 가고 있다. 그곳에 가면 그때 미처 다 가져오지 못한 행복들이 우리를 기다리고 있을 것만 같았다. 기차는 미끄러지듯이 원동역에 도착했고 그곳은 그 때처럼 잔잔한 강은 빛나고 깔끔한 데크는 그대로였다. 남편과 나는 아이들 손을 잡고 매화꽃이 피어있을 순매원으로 걸었다. 작년에 이 곳에서 느꼈던 감정보다 더 진한 무엇이 내 안에 느껴졌다.

'여전히 남편과 아이들이 내 옆에 있고, 이 찰나같은 순간들조차 행복이구나.'

벅차오르는 마음에 괜히 눈물이 나올 것 같아서 먼 하늘을 바라보았다.

저 멀리 흐드러지는 매화꽃이 보인다. 수채화 물감을 뿌려놓은 듯한 광경에 아이들은 감탄을 했다.

"우와! 엄마 저기 팝콘 꽃 많이 피었어. 빨리 가보자"

"어, 저기 호떡!"

반대쪽에서 호떡을 베어 문 커플들이 지나간다. 아빠가 좋아하는 호떡을 발견한 큰아이가 반갑게 외쳤다.

남편은 아이들 손을 잡고 신나게 호떡을 파는 곳으로 달려갔다.

자신의 삶에서 아주 작은 행복도 놓치지 않기로 한 사람처럼…

사이코드라마

Psychodrama

이
채
연

무대 뒤 낡은 커튼을 걷자, 조명에 비친 먼지가 내 눈앞에 뿌옇게 펼쳐지는 동시에 내 답을 기다리는 얼굴들이 보였다. 조정실에서 음향팀과 이야기를 마치고 돌아오는 길이었다.

"민 감독님, 2막 1장에서 코러스 상수[1]에서 등장시켜서 주인공이랑 같이 하수로 빠질까요?"

"민 감독님, 이 그림은 하수 3번에 고정시키는 걸로 갈까요?"

---

1) 무대 등장 동선, 상수와 하수: 출연자 동선, 물자, 장비 반입, 프로덕션 등 무대의 모든 부분에서 쓰이는 용어. 무대의 양 측면을 상수와 하수로 나눈다. 객석에서 바라보았을 때 오른쪽이 무대의 상수, 왼쪽이 무대의 하수라고 한다.

상수 쪽 사다리 위에 있는 부조정실에서도 목소리가 들렸다.

"민 감독님, 음향팀이랑 1막 4장에서 눈 내릴 때 음악 몇 초로 결정하셨어요?"

"일단 2막 1장에서 코러스 상수 등장 상수 퇴장, 그럼 하수 3번 고정 말고 이동 가능하게 하고 눈 내릴 때 음악은 아직 결정 안 났고, 한 시간 뒤에 다시 이야기할 테니까, 1시간 10분 뒤에 나한테 다시 물어봐 줄래?

그리고 이 커튼 말고 다른 걸로 갈 거야"

"감독님, 근데 커튼은 아마 지금 주문하면 일주일은 걸릴 텐데요.. 일주일 뒤가 배우들 첫 리허설인데 그때까지 못 올 수도 있어요."

"괜찮아. 내가 첫 리허설 날 새벽에 와서 달든 할 테니까 걱정들 말고, 이걸로 주문해."

극단에서 일한 지는 햇수로 19년이 되었다. 나는 대학을 마치고 바로 무대팀 막내로 들어와서 일을 했다. 조명, 연출, 음향 구분하지 않고 내게 주어진 일이라면 무엇이든 했다. 다른 스태프와 배우들이 없을 때도 나는 이곳에 왔다. 무대 위에 배우들의 동선을 표시하기 위해 붙여 둔 스티커들을 떼기도 하고, 무대 위에 누워 조명들을 쳐다보며 멍을 때리기도 했다. 가끔은 대본을 보며 대사 연습을 해보기도, 객석에서 무대를 그저 바라보고 앉아 있기도 했다. 남아돌던 표를 직접 돌아다니며 팔아도 텅 비었던 객석은 어느새 북적이기 시작했다. 공연장 옆에는 식당이 하나 있었는데, 주말에 현장 티켓을 사기 위해 모인 사람들이 그 앞에 모여드는 바람에 조치를 취하라는 연락을 받기도 했다.

우리 극단의 공연이 줄줄이 성황을 이루는 동안 나는 총괄 무대감독이 되었다. 어느 날 재무팀 사람이 바뀐 이후, 극장 이사는 피할 수 없는 결정이 되었다. 우리 극단이 그동안 꾸준한 성장세를 이어온 덕에 금전적으로는 건실했고, 스태프도 많았다. 그래서 극장 이사에 관한 회의 때 중극장만큼은 유지하자는 의견을 더욱 내세웠다. 그 결과 낡은 커튼이 달린 이곳으로 이사를 오게 되었다. 이사 온 이후 첫 연극 공연 계약이 성사되었다. 무대 바닥은 공연에 따라 바꾸면 되니 상관없었지만, 여기저기 긁힌 자국과 함께 테이프가 붙어져 있는, 먼지 나고 낡은 커튼만은 꼭 바꾸고 싶었다.

소품팀 스태프가 커튼 치수를 재기 위해 부조정실의 스태프에게 무대 앞쪽 커튼을 닫아달라고 큰 목소리로 말했다. 지하철이 역으로 들어오는 것 같은 소리를 내며 양쪽 커튼이 레일을 따라 가운데로 모였다. 무대는 객석으로부터 완전히 차단되었다. 소품팀 스태프가 설계도면을 들고 와 커튼의 길이와 비교하는 동안, 무대팀 막내가 기기 결함을 확인해 본다며 포그머신[2]을 틀어대는 탓에 무대는 뿌예졌다.

---

2) 포그머신(Fog machine): 공연 진행 중에 연기를 분사시켜 그 순간을 더욱 임팩트 있게 연출하거나 다른 조명 효과 기기들의 빛 경로를 더욱 뚜렷하게 만드는 안개 발생기

무대의 앞뒤가 커튼으로 가려지고, 뿌연 연기 속에서 조명의 빛이 강하게 뿜어져 나왔다. 어릴 때 종종 안겨 있었던 누나의 품처럼 포근했다.

*

비좁고 긴 터널을 지나 간신히 눈을 떴을 때, 피 냄새가 진동했고 뿌옇게 가려진 시야 속에서 익숙한 목소리가 들렸다.

"니가 영수가? 내는 다혜다. 히히."

그날 나는 그녀와 처음 만났다.

내가 여섯 살이 되던 무렵, 여느 날처럼 유모와 그리고 누나와 함께 마루에서 그림을 그리며 있었다. 기와에 맺힌 물방울은 고드름이 되어 있었고, 장독 위에는 하얀 눈이 쌓여 있었다. 마당에는 인부들과 아버지께서 무언가 이야기를 하시더니 바쁘게 집을 나섰고, 어머니는 방에서 왼 손가락으로 주판의 구슬들을 이리저리 옮기시며 오른손으로는 무언가를 계속 적고 계셨다. 시멘트 공장을 세 개 정도 가지고 있는 사업체를 운영하시는 부모님께서는 항상 바쁘셨다. 내 하루 중 대부분의 시간은 누나와 유모와 지냈다. 초등학교 3학년생이었던 누나는 화가가 되는 게 꿈이라며, 학원에서 배워 온 그림을 보여주곤 했다. 우리 집에서 누나네 학원 가는 길은 모두 논밭이었는데, 가끔 나를 데리고 나가기도 했다. 누나는 그림은 나중에 또 그리면 된다며 민들레 꽃만 열심히 찾다가 노을이 생길 무렵 저녁을 먹으러 집으로 향했다.

한 번은 누나가 겨울잠을 자는 다람쥐를 보러 가자며 산에 데리고 간 적도 있다. 그날 새벽 멀리서 수탉이 우는 소리가 들리기도 전에 눈이 떠졌다. 나는 곧장 누나가 자고 있을 건너편 방으로 향했다. 누나는 좀 더 자야 산에 잘 오를 수 있다며 더 자라고 하고는 다시 잠에 들었다. 나는 누나가 잠에서 깰 때까지 세수를 하고, 옷을 입었다. 수탉이 우는 소리가 들리고 10여 분 지났을까. 누나는 일어나서 10분도 안 되는 시간 동안 세수를 하고, 옷을 입고 준비를 마쳤다. 그리고 귀마개가 연결된 털 달린 모자를 가져와 나에게 씌워주고는 차가운 내 볼을 따뜻한 누나의 두 손으로 감싸주었다. 유모는 곶감을 손수건에 싸서 물과 함께 작은 천 가방 안에 넣어줬다. 누나와 민들레 꽃을 찾았던 논과 밭을 지나 누나가 오르고 싶었던 산 앞에 다다랐다. 다람쥐를 본다고 생각하니 내 심장이 더 빨리 뛰는 게 느껴졌다. 산에 오른 지 5분쯤 지났을까. 나는 눈이 녹아 진흙이 된 곳을 잘못 밟아 미끄러지며 앞으로 넘어졌다. 내가 넘어진 채로 무릎을 확인하려 바지를 걷었을 때, 피가 흐르고 있었고 이를 본 누나는 돌아가자고 했다. 그 말을 들었을 때, 귀여운 다람쥐를 보기 위해 숙제도 미리 해두고 옷도 챙겨두고 세수도 나 혼자 했던 것들이 떠올랐다. 나는 무릎에서 흐르는 피를 옷소매로 꾹꾹 눌러 없애고 "괜찮아"라고 하고 미소를 지으며 누나를 올려다보았다. 누나는 작은 천 가방 안에서 곶감이 든 손수건과 물을 꺼냈다. 누나는 내 바지를 허벅지 끝까지 걷어주고 물을 내 무릎에 부어서 흙과 피를 씻어냈다. 차가운 물이 닿을 때 따끔거리며 씻기는 느낌이 나쁘지만은 않았다. 손수건을 풀어서 곶감 하나를 누나 입에 물고, 나머지 하나를 내 입에 물려주었다. 곶감을 감쌌던 손수건으로 내 무릎을 감싸서 두 번 묶어주었다. 그리고 내 바지를 내려주었다. 다시 이어서 산을 오르려 하는데, 한 발 한 발을 내디딜 때마다 내 다리의 힘이 풀렸다. 나는 자리에 서서 고개만 푹 숙였다. 그런 나를 본 누나는 결국 나를 업고 온 산을 뒤졌지만, 다람쥐는 보지 못하고 길을 헤매며 차가운 공기만 열심히 마셔댔다. 멀리서 유모가 헐떡이며 우리를 데리러 왔다.

"다혜야, 영수 데리고 퍼뜩 온나."

누나는 어머니께 꾸중을 들은듯했으나 내겐 아무 내색도 하지 않았고, 그저 다음엔 또 무엇을 할지 궁리하는듯했다. 지붕 위에 쌓여있던 눈에 햇살이 앉은 것 같았다.

＊

누나에게 전화를 걸었다.

누나와 마지막으로 통화한 건 3년 전 설 연휴였다. 최소한의 스태프만 출근한 탓에 극장은 시골에 있는 휴게소처럼 조용했다. 객석에 몸을 기대고 조명감독과 사담을 하는 도중 누나에게 전화가 왔다. 그조차 누나의 어린 조카가 누나의 핸드폰을 가지고 놀다가 잘못 걸린 전화였다. 누나의 목소리는 내가 생각했던 것보다 가늘고 지쳐있었다.

"조카가 잘못 걸었어. 내가 다시 전화할게."

전화는 오지 않았다. 그날 누나에게 전화를 걸었다. 전화가 가는 소리를 들으며 누나에게 할 말을 떠올리니, 가슴부터 정수리까지 울컥하며 뜨거워졌다. 누나는 전화를 받지 않았다.

이번 연극의 대본을 처음 봤을 때 어릴 적 누나와 함께했던 순간들이 떠올랐다. 대본을 본 이후 대본을 보지 않을 때에도 누나 생각을 멈출 수가 없었고, 누나가 이 공연을 보러 온 모습을 매일 떠올렸다. 공연 선정 회의 때, 나는 현대 사회인들이 문화를 즐기는 이유에 힐링이 크게 차지한다며 이 연극을 계속 추천했다. 회의가 진행되는 내내 평소의 나라면 절대 하지 않았을 말들을 내뱉었다.

이번에도 누나와의 통화는 실패했다. 메시지라도 보내기 위해 누나 전화번호에서 메시지 아이콘을 눌렀다. 그곳엔 내가 보낸 메시지만 가득했다. 내 이름이 자그마하게 새겨진 연극 포스터를 먼저 보내고, '누나, 꼭 보러 와줘.'라고 이어 보냈다.

*

　우리 집 대청에는 산수화가 그려진 병풍이 있었다. 누나가 어느 날 병풍 뒤에서 이리 와보라며 나를 불렀다. 초록색 방석 위에 앉아있던 누나는 다홍색 방석을 탁탁 두드리며, "여기 앉아봐"라고 했다. 나는 병풍이 넘어질까 조심하며 방석으로 가서 앉았다. 아궁이 열이 방석을 통과하며 엉덩이가 따뜻해졌다. 따뜻한 열이 가슴까지 전해지는 것이 느껴질 무렵 누나는 "아!"라고 하며 일어서서 방으로 가더니 지난 추석에 내가 입었던 색동저고리와 크레파스, 그리고 스케치북을 가지고 왔다. 색동저고리를 내게 입혀 놓고는, 예쁘다는 말을 수없이 하며 나를 그려주었다. 병풍 뒤는 우리의 아지트가 되었다. 매일 초록색 방석과 다홍색 방석에 번갈아 앉아가며, 때로는 엎드려서 그림을 그리거나 장난을 치며 놀았다. 누나와 내가 세상에서 가장 예쁜 미소를 짓고 꺄르르 거리며 웃는 와중에도 아버지는 집에 안 계셨고, 어머니가 계신 방에선 주판 구슬 소리만 날 뿐이었다. 누나에게 어머니께선 무엇을 하는 거냐 물어보면, 어머니가 잘 안 쓰시는 주판을 병풍 뒤로 가져와 엎드린 채로 나에게 셈을 알려주곤 했다.

　누나랑 있을 때만큼은 눈이 내리는 겨울에도 하나도 춥지 않았다.

*

뿌예진 무대 사이로 상수 쪽 부조정실에 있던 스태프가 사다리를 타고 내려왔다.

"민 감독님, 이제 조명 레일 내릴까요? 위에서 말씀드리려 했는데 포그 머신 때문에 위에서 아무것도 안 보여서 내려왔어요."

무대팀 막내가 본인 이야기하는 걸 눈치챘는지 그제야 포그 머신을 멈추고, 무대 뒤쪽으로 향했다. 나는 무대팀 막내를 불러 세웠다.

"연지야, 이제 조명 내려서 다시 설치할 거니까, 조명 레일 내리기 전에 힘센 애들 너 포함 10명 모아와"

무대팀 막내는 "네!" 하고 뛰어가더니 10분도 되지 않아 그를 포함한 10명을 데려왔다. 그동안 부조정실 스태프는 다시 사다리를 타고 부조정실에 올라갔다. 객석을 가리고 있던 무대 앞 커튼이 다시 지하철이 역을 지나는 소리를 내며 열렸다. 무대 뒤 공간과 객석 조명이 켜지고 무대 조명은 꺼졌다. 어두운 무대 속에서 조명이 달린 레일이 내려왔다. 막내가 모아 온 스태프들은 익숙하게 조명을 뗐다. 그리고 조명감독이 지시하는 대로 조명을 설치하기 시작했다. 설치 작업은 쉬지 않고 4시간 동안 이어졌고, 고장 나거나 이번 연극에 쓰지 않는 조명을 버리거나 자재 창고에 잘 정리하고 나서야 일이 끝났다. 각자 물 마시고 쉬는 30분의 시간이 지난 후 나는 작업 지시를 내렸고, 바로 본인들의 작업을 위해 흩어졌다. 조명 감독과 그 밑에서 일하는 스태프들은 조종실로 이동해서 첫 번째 장면의 조명부터 만들기 시작했고, 기존 무대를 뜯기 위해 대여섯 명의 스태프들이 연장을 챙겨왔다. 조명 빛 맞추기와 프로그래밍 작업이 진행되는 동안, 이리저리 움직이는 조명들 아래에서 무대를 뜯기 시작했다.

*

누나는 중학교 1학년생이 되었고, 나는 초등학교 3학년생이 되었다. 장독대 옆 화단에는 어머니께서 돌보시는 진달래 묘목이 곧 꽃봉오리를 맺을 듯했고, 대문 넘어 보이는 목련은 하얗게 꽃을 피워내고 있었다. 자재 창고로 쓰이던 별채는 누나의 작업실로 꾸며졌고 누나는 대부분의 시간을 그곳에서 그림을 그리며 보냈다. 나는 학교에서 오면 곧장 별채로 달려가 있었던 일을 모두 말했고, 누나는 한마디도 빼놓지 않고 내 이야기에 귀를 기울여 주었다.

멀리서 수탉이 우는소리에 눈을 뜨는 게 유난히 힘들지 않은 날이었다. 누나는 학원에 가느라 일찍 집을 나섰고, 나도 자전거를 타고 등교를 했다. 도착한 학교 앞엔 주산 대회에서 상을 받은 내 이름이 쓰인 큰 현수막이 펄럭이고 있었다. 기뻐할 누나를 생각하니 하루 종일 절로 미소가 지어졌다. 학교가 끝나고 나는 받은 상장을 자랑하기 위해 나는 평소보다 더 힘차게 자전거 페달을 밟았다.

집이 보일 때쯤 평소와는 다르게 참기름 냄새 대신 어지러운 향냄새가 내 코를 찔렀다. 검은색 옷을 입은 어른들은 저마다 말을 뱉어냈다.

"어린 것들을 두고 어찌 이리.."
"병풍 뒤에는 절대 가지 말거라"
· · ·

그날 밤 사람들은 술에 취했다. 누나는 벽에 기대서 잠에 들었고, 나는 누나 옆에 누웠다. 눈을 떠보니 나는 누나 품 속에 안겨 있었고, 이불이 덮여있었다. 몸을 일으켜서 눈을 비볐다. 잘 떠지지 않는 눈꺼풀 사이로 병풍 뒤에서 불빛이 새어 나오는 것을 보았다. 나는 누나 품 속에서 빠져나와 최대한 조용히 걷기 위해 몸에 잔뜩 힘을 주고 병풍 뒤로 향했다. 병풍 뒤에는 촛불이 켜져 있었다. 그리고 촛불에 비친 아버지는 모시옷을 입고 누워 계셨다. 자세히 보기 위해 더 가까이 다가갔다. 아버지의 입에는 쌀이 한가득 채워져 있었다.

그날로부터 오십여 일쯤 지났을까. 문이 닳도록 우리 집 대문을 드나 넘던 인부들은 하나둘씩 떠났고, 유모도 멀리 시집을 간다고 했다. 누나는 미술 학원 대신 시멘트 공장에 갔다. 공장에 다녀온 누나는 손만 얼른 씻고는 허둥지둥 나에게 먹을 밥을 만들어주었다. 탄 내 나는 밥을 최대한 맛있게 먹고 나서 책상 앞에 앉은 나는 주산 구슬을 올렸다 내렸다 하며 공책에는 아무것도 쓰지 못했다. 누나의 생일선물로 이젤이 좋을지 새 물감이 좋을지 고민하셨던 어머니는 여자애가 밥 하나 제대로 하지 못한다며 화를 내고 계셨다. 누나는 얼굴이 노랗게 될 때까지 어머니의 모진 말들을 모두 참아내고 있었다. 누나가 공장에 가 있는 시간은 점점 늘어났고, 새벽에 누나가 뒷간에 오랫동안 다녀오는 날이면 눈이 벌에 물린 것처럼 퉁퉁 부어있었다.

어느 날 회계사라는 평범하게 생긴 남자가 우리 집에 찾아왔다. 그리고 그 남자는 나를 처남이라 불렀고, 어머니와 조용히 대화를 나누고 있었다.

*

무대를 뜯고 자재를 치수에 맞춰 자르고 갈아 만든 새로운 무대에는 스태프들이 자재를 옮기며 남긴 발자국이 가득했다. 새벽 6시에 커튼이 도착한다는 연락을 받은 소품팀 스태프가 부조정실 스태프와 기존 커튼을 떼어냈다. 마무리를 위해 무대팀 막내는 대걸레를 가져와서 바닥을 닦았다. 깨끗해진 무대를 보며 다음 날 콜타임을 정하기 위해 핸드폰을 두 번 터치해 보니, 새벽 2시였다. 일주일 동안 제대로 쉰 적 없이 무대를 제작한 탓에 지친 스태프들이 저마다의 사정으로 집에 가봐야 한다고 했고, 나는 9시 콜타임만 지키라고 했다.

무대팀 막내가 눈치를 보더니 "고생하셨습니다."라고 나지막이 말하고는 마지막으로 문을 닫고 나갔다. 나 혼자 남은 극장은 먼지가 떨어져 바닥에 부딪히는 소리가 느껴질 정도로 적막이 흘렀다. 마지막으로 무대를 확인하기 위해 첫 번째 장면부터 대본을 보며 조명과 음향을 맞춰보았다. 임시방편으로 소품실에 있던 가림막을 가져다 둔 것이 찝찝했지만, 그래도 생각했던 대로 무대가 완성된 것 같아서 안도의 한숨이 새어 나왔다. 커튼콜 음악이 음악이 흘러나올 때쯤 조명 한 개의 움직임이 조금씩 느리다는 것을 발견했다. 나는 조정실에서 나와 객석을 지나 무대 위로 향했다. 부조정실에 가기 위해 좁은 사다리를 올랐다. 그리고 버튼을 눌러 조명 라인을 내렸다.

부조정실에서 아래를 내려다 보았을 때, 임시 가림막 뒤로 내려온 조명들은 저마다의 색으로 빛을 내고 있었다.

사적인

5일

이
화
선

여자는 자는 것도 잊고 죽을 날을 고민 중이었다.

35개의 사각형과 31개의 숫자.
나란히 정렬된 월 화 수 목 금 토 일.
상단 가 쪽 선명하고 굵게 적힌 2023년 12월.

휴대전화 속 달력의 여러 지점을 번갈아 바라보던 여자는 이
내 눈이 피곤했는지 화면의 밝기를 최대로 내렸다가, 다시 밝기
를 세 칸 올렸다가, 다시 한 칸을 내렸다. 그제야 밝기가 편한
듯 여자는 미간이 찡그려질 정도로 몰입된 표정을 짓고 10분
정도 더 같은 방황을 반복했다. 탄생엔 선택권이 없었으니, 죽

음엔 신중하고 싶은 마음이 여실히 드러나는 얼굴로.

생각에 머물고, 고민을 오가며, 방황을 지나자 드디어 날이 하나 보였다. 여자는 24가 적힌 사각형을 선택했다. 날을 정하니 그때 할 일을 입력하는 것은 아주 빠르고 쉽고 명확했다. 여자는 '일정' 카테고리에 한 단어를 입력했다.

'12월 24일 일 - Die'

여백이 가득한 12월에 유일하게 입력된 계획이었다. 그날을 가만히 응시하던 여자는 이내 락 버튼을 눌러 화면을 어둡게 칠하고 휴대전화를 머리맡에 내려 두었다. 자야 한다. 내일은 아직 사는 날이라.

2023년 12월 21일

가방 속 사직서를 가만히 만져보던 여자는 순식간에 물속 깊은 곳으로 빠르게 잠겨 들어갔다. 요즘 들어 잠식의 빈도가 늘어나고 있다 싶었는데 또 시작이라니, 여자는 신체를 누르는 수압이 힘에 부쳐 몸을 떨며 자리에 그대로 주저앉았다. 다행히 점심시간이라 사무실 안에는 사람들이 없었지만, 이제는 있어도 별로 상관이 없다고 생각했다. 어차피 다 그만둘 거잖아.

여자는 혹 정성 들여 작성한 사직서가 물에 젖을까봐 봉투를 쥔 손에 힘을 주다가 이내 바보 같다고 생각하며 그 행동을 그만두었다. 어차피 이 물속도 다 나약한 스스로가 만든 허상인 것을 모르는 바가 아니었다. 왠지 울고 싶었지만, 여자는 스스로를 물속에 가두는 방법은 알았어도 우는 법을 까먹은 지는 오래였다.

종종 만났던 의사는 여자에게 우울증이 심하다고 했다. 그리곤 약 처방과 호흡하는 법을 알려주었다. 그러면서 스스로 이겨낼 수 있을 거라고 했다. 그러니까 그 우울함이 얼마나 깊던, 온도가 차갑던, 뜨겁던 스스로 이겨내라고. 그건 결국 네 몫이라고. 여자는 다음부터 병원에 가지 않았다.

사실 여자는 지금처럼 갑자기 덮쳐오는 우울감에 언제나 져도 상관이 없었다. 그냥 기꺼이 먹혀서 세상에서 사라져도 아무 상관이 없었다. 그렇지만 오늘은 아니다. 오늘은 꼭 할 일이 있다. 여자는 발레리나처럼 안간힘으로 척추를 꼿꼿하게 세우고 숨을 들이켰다. 그러면 숨은 여자의 안을 한 바퀴 돌고 다시 나갔다.

들이키고 뱉고, 들이키고 뱉고, 들이키고 뱉고 또 들이키니 또 뱉어졌다.

소리가 다시 제자리로 흩어지고, 풍경도 다시 선명해지고, 몸이 가벼워졌다. 여자가 스스로 정상 범주 안으로 들어왔다고 느끼며 주변을 살피자 다행히도 사무실엔 여전히 사람들이 없었다. 이 시간엔 모두 점심을 먹거나, 커피를 마시거나, 산책을 하며 다음을 준비하고 있겠지. 여자는 무너졌던 몸을 천천히 일으키곤 가방 속 사직서를 손에 들었다.

모두가 다음을 준비하는 시간이었다.

2023년 12월 22일

여자의 엄마는 여자가 태어나 대학교에 들어가기까지 해장국집을 했다. 처음에는 젊은 여자가 손맛이 좋다며 입소문을 타더니 나중에는 동네에서 제일가는 맛집이 되었다. 여자는 그런 엄마가 멋있었다. 빨간 선지를 아무렇지도 않게 만지는 엄마가 멋있었고, 커다란 쟁반에 무거운 뚝배기 그릇을 들고 다니는 엄마가 멋있었다.

여자는 사실 계속 죽고 싶었다. 차를 보면 치이고 싶었고, 높은 곳을 가면 아래를 보았고, 계단을 내려가면 자주 발목에 힘을 뺐고, 잠에 들 때면 내일을 바라지 않았고, 길을 걷다 본 앙상한 나뭇가지에라도 찔리고 싶었다.

그래도 여자가 여태 산 이유는 오롯이 엄마 때문이다. 봉숭아 물 마냥 선지피가 불그스름하게 물든 손톱 밑 살 때문이었고, 다 늘어난 손목 인대 때문이었다.

오랜만에 장을 봐온 여자는 비어 있던 냉장고 안을 채우기 시작했다. 겨울 제철 과일이라 사 온 귤을 가득 채워 넣고, 그 옆에 사과도 몇 개 집어넣었다. 비싼 상표가 보이게끔 해서 요거트를 맛별로 넣고, 1등급 특란도 넣었다. 아침 대용으로 먹을 법한 단백질 시리얼도 넣고, 그 옆엔 우유, 500ml 생수, 탄산수도 넣었다. 그리고 마지막으로 반찬가게에서 사 온 장조림과 배추겉절이, 멸치볶음, 연어장도 깔끔하게 용기에 옮겨 담아 냉장고에 빈칸이 거의 안 보이도록 먹을거리를 가득 채웠다.

'딸, 잘 먹고 다니지?'

가득 채워진 냉장고를 넋 놓고 바라보는 여자에게 누군가 질문을 던진다. 야, 이렇게 꾸민 냉장고 따위가 자식 잃은 어미의 슬픔을 달랠 수 있을 것 같아? 여자는 그렇다고 답할 수 없어 말없이 냉장고 문을 닫았다.

엄마.

엄마.

내가 태어날 땐 엄마의 몸을, 죽을 땐 엄마의 마음을 찢어서 미안해.

2023년 12월 23일

여자는 검색창에 특수청소 비용을 검색했다. 그러나 정확한 금액이 나오는 곳이 없어 난감했다. 네이버 지식인도 명쾌한 답을 주지 않았다. 물어볼 지인도 없었다. 혹시 금액이 부족할까 무료 견적 상담을 받아볼까 했지만 왜 인지 그건 용기가 나지 않았다. 이때 여자는 아주 오랜만에 조금 웃었다. 죽을 용기는 있는데, 전화 걸 용기가 없다는 게 웃겨서. 한참을 고민하던 여자는 100만 원을 봉투에 담고 입구를 정갈하게 접었다.

<집주인께 드립니다. 여기서 죽어서 죄송합니다.

청소비용으로 쓰세요. - 1103호>

2023년 12월 24일

여자는 퇴근 후 맛있는 음식으로 하루를 마무리해야겠다는 생각을 한다거나, 요리를 즐기는 편이 아니라 저녁밥은 보통 편의점에 들러 해결했다. 어느 날은 컵라면, 어느 날은 삼각김밥,

어느 날은 맥주에 아몬드, 어느 날은 도시락, 어느 날은 빵. 우울감이 배고픔을 이길 때를 제외하고는 거의 날마다 그랬다.

여자가 편의점에 들리는 시간엔 항상 같은 청년이 일을 하고 있었다. 하루는 여자가 계산대 위에 캔맥주를 올려 두자 청년이 반가워하며 나도 호랑인데! 내 이름이 범이거든요. 라며 자신의 이름을 밝혔다. 여자는 대답 대신 청년의 손가락이 가리키는 맥주 캔의 겉면을 바라보았다. 그곳엔 Tiger라는 영어단어가 적혀 있었다. 여자는 이때 편의점 아르바이트 생의 이름이 범이란 것을 알게 되었다.

약간의 힘을 주어 열어야 하는 유리문과 운 나쁘게 다른 사람이 같이 들어오면 물건을 고르는 척 그 사람의 동선을 피해 움직여야 하는 좁은 편의점 내부. 퇴근길 잠시 들리는 이 편의점 안에서나 보는 사람이었지만 범의 주변엔 검은색이 없었다. 어두움, 슬픔, 우울, 외로움 그런 색들이 없었다. 하루하루가 그랬고, 볼 때마다 그랬다. 또 오라며 인사를 건네는 목소리가 그랬고, 눈치가 빠른 건지 수많은 말 속에 질문이 없던 배려가 그랬다. 그런 범을 보며 여자는 온통 검정투성이인 자신과 완벽하게 다른 사람이라고 생각하며, 아주 자주 상대의 예쁜 밝음을 질투했다.

여자는 오늘 평소보다 조금 더 천천히 물건을 골랐다. 카운터에 선 범이 여자를 힐끔 곁눈질할 정도의 느린 속도였다. 평소 여자답지 않았다. 그리고 그건 여자 본인이 가장 잘 알았다. 저녁 밥을 목적으로 들어오던 곳에 다른 목적으로 들어온 게 처음이라 평소와 달리 먹을 것들이 눈에 잘 들어오지 않았다.

"손님. 내일 눈이 온대요."

범은 여자가 가져온 캔 맥주의 바코드를 찍으며 평소처럼 그저 자신의 말을 했다. 오늘은 날씨 이야기 인가 보다 하고 여자는 생각했다. 차 있는 사람들은 싫겠지만 저는 화이트 크리스마스 너무 기대돼요, 여자는 진심으로 설레는 범의 얼굴을 힐끔 바라보다 눈이라도 마주칠까 금세 시선을 거두었다.

"결제가 다 되셨습니다. 메리 크리스마스에요 손님."

평소처럼 물건이 담긴 봉투를 내밀며 밝은 인사를 건네오는 범을 잠시 바라본 여자는 소리 없이 목을 가다듬었다. 여자는 그저 오늘 누구에게라도 인사를 하고 싶은 날이었다. 범의 말처럼 내일 정말 눈이 온다면 그 눈에 자신의 죽음도 자연스레 녹아 함께 사라지기를 바라며.

"안녕히 계세요."

눈 사 람 의
목 도 리

정
아
연

    내가 태어난 날은 몹시나 추운 어느 겨울날이었다. 전날부터 쌓인 눈은 신발이 통채로 파묻힐 정도로 쌓여있었고, 아침 일찍 단정히 옷을 차려 입고 밖에 나선 직장인은 눈밭을 뚫고 출근할 생각에 걱정이 이만저만이 아니었다. 직장인의 걱정을 덜기 위해 부지런히 눈을 치워주던 공무원은 눈이 하늘에서 내리는 쓰레기라며 입이 없어 대답하지 못할 눈에게 한탄하듯 말했다. 이 도시에서 눈을 반기는 것은 단둘뿐이었다. 도화지 마냥 하얗고 깨끗한 눈에 자신의 첫 발자국을 남기고자 하는 5살 난 아이와 차갑고 눈바닥에 몸을 비비고 싶어 꼬리를 세차게 흔들던 강아지가 그 둘이었다.

    내가 처음 눈을 뜨고 본 풍경의 가운데 바로 그 아이가 있었다. 아이는 자신의 온몸을 덮는 하얀 롱패딩을 목 끝까지 지퍼를 올려 입고 패딩의 모자를 푹 눌러썼다. 그 모습이 뒤에서 보면 얼핏 눈사람 같이 보이기도 했다. 아이 옆에는 아이보다 몇 배는 커다란 여자가 있었다. 그 둘의 얼굴은 제법 닮은 구석이 많았다. 그저 눈으로 가득찬 머리 속으로 나는 생각했다. 이 둘은 어머니와 자식 관계겠구나.

여자는 자신의 목을 감싸던 목도리를 풀어 내게 둘러주었다. 나는 그제서야 나의 모습을 제대로 볼 수 있었다. 길거리에서 굴러다니던 작은 돌 3개는 나의 눈과 코가 되어주었고, 매서운 추위에 맥없이 부러져 버린 나뭇가지 2개는 나의 팔이 되었다. 조촐한 모양이었지만 여자가 내 목에 둘러준 목도리 덕에 조금은 멋이 났다. 멋을 낸 나를 보고 아이가 자신의 작고 하얀 이를 드러내며 활짝 웃었다. 보아하니 목도리는 아이의 아이디어인 것 같았다.

만약 내게 입이 있다면 너를 따라 같이 웃어줄 거야.

아이의 마음에 나도 보답을 하고 싶었다. 내 생각이 아이에게 닿았는지 아이가 그 작은 손을 나의 코 아래로 가져왔다. 왼쪽 뺨에서 오른쪽 뺨으로. 힘껏 눌러 내게 웃는 입모양을 남긴 아이는 콧물을 삼키며 다시 한번 웃었다. 나도 웃었다.

이후 두 사람은 내 앞에서 눈싸움을 하기도 하고, 아직 아무도 밟지 않은 하얗고 깨끗한 눈바닥에 발자국을 남기며 놀다가 해가 지평선의 산 너머에 가까워졌을 때쯤 손을 맞잡고 사라졌다. 그 후 가끔 아이는 나를 몇 번 찾아왔다. 어느날은 아이의 손에 예쁜 드레스를 입은 여자 인형이 쥐어져 있었다.

아이는 여자 인형을 나의 맞은편에 조심스레 앉힌 후 자신도 그 옆에 앉았다. 아이는 고개를 돌려 인형과 눈을 맞추고 나를 가리켰다.

"얘는 엘리야" 그리고 나와 다시 눈을 맞췄다. "엘리! 여기 공주님 이름은 마틸리아야."

나는 어느새 공주 모임의 일원이 되었다. 눈사람 왕국의 눈사람 공주. 그게 내 역할이었다. 이렇게 조촐하고 검소한 외모로 공주님이 될 수 있는가 싶지만. 이 놀이의 주인은 아이였다. 아이의 놀이 속 세상에서는 화려하지 않고 예쁘지 않은 소녀도 공주가 될 수 있었고, 왕은 정직하고 늘 백성을 위했으며, 언제나 맑은 하늘 아래에는 슬픔이 부재하고 언제나 행복감이 감돌았다. 누구나가 바라는 꿈같은 세상이었다. 나는 이 세상을 참 좋아했다. 그저 눈 뭉치에 불과했던 내게 이름이 생긴 것이 좋았고, 내 이름을 불러줄 친구가 있는 것도 정말 좋았다. 눈 덮인 땅 위로 푸르른 새싹이 돋아나기 전까진 이 순간이 영원할 것만 같았다.

봄의 기운이 늦겨울에 들이닥쳤다. 겨울잠을 자던 곰은 잠에서 깨어나고, 앙상한 나뭇가지에는 새 잎사귀가 피어나기 시작한다. 다시금 생기가 도는 세상에서 나는 왼쪽 팔을 잃었다. 전보다 따뜻해진 날씨에 나의 몸이 녹고 있었기 때문이다. 그 다음엔 오른쪽 팔, 다음엔 나의 두 눈, 그리고 코. 본래의 형태를 잃고 나의 몸은 점점 작아졌다. 여자가 둘러주었던 목도리는 내 몸보다 너무 커져 버려 바닥에 떨어진지 오래였다. 나의 팔과 눈코였던 돌과 나뭇가지는 자연으로 돌아가 눈에 띄지 않게 되었지만, 목도리는 내가 있던 자리에 그대로 남았다. 나는 이 목도리를 아이가 다시 되찾아가길 바라며 아이를 마지막으로 한번 더 볼 수 있기를 기도했다.

※

나는 다시 눈을 떴다. 내 몸 속에 꽉 찬 눈송이들이 느껴졌다. 비록 내 목에 둘러져 있던 멋들어진 목도리는 사라졌지만, 내 몸의 모양은 갓 태어난 눈사람처럼 완벽했다. 믿기 힘든 기적같은 일에 나는 나의 기도가 통했기를 기대했다. 하지만 여자와 아이는 보이지 않았다. 대신 나와 비슷한 모양의 눈사람들이 내 시야를 가득 메웠다.

나를 동글게 빙 둘러싸던 눈사람들이 나를 보고 인사했다.

"안녕 엘리!"

"안녕 엘리!"

"안녕 엘리!"

눈사람 하나 하나가 같은 말소리로 내게 차례대로 인사했다. 하나, 둘, 셋, 넷… 총 열 개의 눈사람들이 무리 지어 나를 둘러싸고 있었다. "이제 그만!" 메아리치는 인삿말을 끊는 새로운 말소리가 들렸다. 눈에 단추를 달은 목소리의 주인은 자신은 '단추'라고 소개했다.

"많이 혼란스럽지? 여기는 눈사람 왕국이야."

화려하지 않고 예쁘지 않은 소녀도 공주가 되고, 왕은 정직하고 늘 백성을 위하며, 언제나 맑은 하늘 아래에는 슬픔이 부재하고 언제나 행복감이 감도는? 나의 되물음에 단추가 대답했다.

"맞아! 하나만 덧붙이자면, 눈이 녹지도 않지."

단추는 하늘을 올려다 봤다. 단추를 따라 바라 본 하늘엔 해가 보이지 않았고 눈구름만 잔뜩이었다.

"나는 이곳에 꽤 오래 살았는데 구름이 걷히는 건 한 번도 보지 못했어."

단추는 하늘을 가만히 보며 잠시 뜸을 들이다 말을 이었다.

"영원히 겨울인 세상인 거야."

이제 녹아 사라질 일이 없으니 잘된 걸까. 하지만 내 기도는 이뤄지지 못했다. 아이를 다시 보지 못한다면 영원히 사는 것이 무슨 소용인가. 눈사람 무리를 해산시킨 단추는 나를 집으로 안내했다. 눈으로 만든 하얀 집이었다. 눈으로 만든 탁자와 꽃병, 의자, 침대, 모든 것이 눈이었다. 지독하게 추운 집이었다.

나는 침대에 누워 눈 이불을 덮었다.

아이는 목도리를 다시 가져갔을까?

내가 사라진 후에 아이는 어떤 기분이 들었을까?

꿈 속에서 아이를 다시 만나길 바라며 나는 이불을 머리 끝까지 뒤집어 썼다. 이런저런 생각들이 꼬리에 꼬리를 물며 밤을 지새우던 중 반가운 소리가 나를 깨웠다 "엘리! 엘리!" 내 기도가 드디어 신에게 닿은 걸까. 아이가 내 눈 앞에 서 있었다. 얼핏 보면 눈사람 같이 생긴 하얀 패딩을 입고서 말이다. 아이를 반기려고 침대에서 일어나기도 전에 아이가 나의 이불 속으로 들어왔다. 퍼즐조각이 제 짝을 맞난 양 내 품 안에 아이가 쏙 들어왔다. 아이는 아직도 작은 아이였다.

아이야. 내 집엔 어떻게 들어왔니?

"냉장고 문을 열고 들어왔어"

그게 무슨 말이야?

"냉장고 안은 항상 겨울이니까. 겨울엔 눈사람이 녹지 않으니까. 너가…"

여기에 있을 걸 알고 있었어. 마치 우리만의 비밀인 듯 아이는 작게 속삭였다. 나는 아이가 잠들 수 있도록 등을 두드려 주었다. 솔도레. 미레도레. 자장가의 리듬을 타고 앙상한 나뭇가지 손이 얕게 흔들렸다.

아이는 자꾸만 감기는 눈꺼풀을 애써 버티고 있었다. 졸리면 자면 되는데. 무엇이 그리 아쉬워 졸음을 참고 있을까. 이 밤을 아쉬워하는 아이에게 나는 동화 한 편을 이야기해주기로 했다.

이 이야기를 들으면 잠들 수밖에 없을 거야. 잘 들어보렴. 이별이 너무나 두려운 나머지 냉장실 안에 눈사람 왕국을 만들었던, 한 소녀의 이야기야.

※

소녀의 침대에는 베개가 2개 있었어. 하나는 소녀의 것이고, 나머지 하나는 소녀의 어머니 것이었지. 화장실의 슬리퍼가 2개, 식탁 위 밥그릇은 2개, 칫솔도 늘 2개가 있었고, 그 집은 방도 2개였어. 원래 큰방은 어머니의 방, 작은 방은 소녀의 방이었는데 소녀가 글을 읽을 수 있게 되면서부터 작은방은 서재가 되었어. 동화와 소설 읽기를 좋아하던 소녀는 소설가가 꿈이라고 말했단다.

이제 막 교복을 입기 시작한 소녀는 세상의 모든 것이 늘 불만이었어. 집에 방이 2개밖에 없는 것에서부터, 아버지가 없는 것까지. 크고 작은 불만들을 길거리에 침 뱉듯 어머니에게 쏟아댔어. 어느 날은 반항한답시고 어머니가 정성스레 차려준 저녁밥을 거르는 일이 있었지. 화가 난 어머니 이마에선 불꽃이 튀었고, 서로의 불꽃을 쏟아내느라 큰방은 언제나 소란스러웠어. 너무 시끄럽다며 이웃집 사람이 문을 대차게 두드리고 나서야 둘은 평화협정을 맺었어. 서로 말을 하지 않기로 약속하고 말야. 최선의 해결책을 아니었지만, 어머니는 시간이 지나면 서서히 나아지리라 생각했지.

하지만 시간은 누구에게나 공평하게 주어지는 것은 아니란다. 아이야. 너도 언젠가 이걸 이해하게 될 날이 올 거야.

어느 날 예고 없이 소녀의 어머니는 멈춰버렸어. 심장의 시계 초침이 그대로 멈춰버렸지. 그날은 소녀의 열일곱 번째 생일이면서 기록적인 폭설이 내리던 날이었어. 어머니의 장례식에 갔다 온 소녀는 2인분의 침대에 그대로 엎어졌어. 소녀는 무릎까지 쌓인 눈을 계속 헤쳐 걸어온 탓에 온몸이 피로했지. 피로는 몸을 뚫고 들어와 마음을 찔러댔어. 매일 얼굴을 마주보고, 앞으로도 계속 볼 예정이었던 존재가 하루 아침에 사라져버리는 걸 상상이나 할 수 있겠니? 너무 무서운 일이지. 하루아침에 혼자가 되어버린 소녀는 자신의 마음을 추스리기도 버거워 마음의 문을 닫아버렸어. 학교에선 친구들과 어울리지 못했고, 이제는 너무 넓어져 버린 2인용 침대에서 소녀는 점점 외로워져 갔지.

어느 날 집에서 있었던 일이야. 베란다 창밖을 멍하니 보고 있는데, 5살 남짓한 어린 아이와 어머니가 눈을 뭉치며 놀고 있었어. 처음엔 주목만했던 눈뭉치가 점점 살을 붙여서 아이 허리 높이에 다다를 만큼 커졌어. 뒤돌아 주방의 냉장실에서 아스크림바를 꺼내 온 소녀는 그 풍경을 습관적으로 계속 바라보고 있었어. 어머니가 그 위에 눈뭉치 하나를 더 올리자 2등신의 완벽한 눈사람이 완성됐지. 그 순간 아이스크림바를 씹으려던 소녀는 아! 하고 비명을 삼켰어. 아이스크림이 아니라 돌을 씹는 것 같은 단단함이었지. 비닐껍데기를 훑어보니 아이스크림바의 유

통기한은 1년이 넘게 지나있었어. 그때 소녀는 무슨 생각이었는지 서둘러 외투를 입고 현관문을 열었어. 현관문 사이로 환한 햇빛이 하얀 세상을 눈이 부시게 비추고 있는 것이 보였어.

이번주 내내 눈이 내린 덕분에 바깥엔 재료가 가득했지. 소녀는 아이처럼 눈뭉치를 모아 굴리고, 굴려서 크게 만들었어. 소녀의 허벅지 높이까지 오는 크기였는데, 확실히 아이가 만든 눈사람과 비교하니 크기가 어마어마했어. 그 위로 눈뭉치 한 덩이를 더 쌓으니 눈사람의 키가 소녀의 배까지 닿았지.

소녀는 자신의 외투에서 헐렁이는 단추 2개를 뽑아 눈사람에게 눈을 만들어줬어. 팔은 길거리에 떨어진 나뭇가지로 만들고, 입은 소녀가 직접 검지로 긁어 만들었어. 환하게 웃는 눈사람은 소녀를 향해 웃어주는 듯했어. 소녀가 아주 어렸을 때는, 눈이 오는 날이면 매번 어머니와 함께 눈사람을 만들었었지. 일이며 집안일이며 항상 바빴던 어머니는 늘 소녀를 위해 시간을 내주었어. 소녀는 늘 어머니의 추억을 영원히 간직하고 싶었지만 눈사람은 봄이 오면 녹아버리고 말았지.

사실은 눈사람도 소녀와 생각이 같았어. 일년은 사계절인데 비해 겨울은 너무 짧았지. 겨우 1/4이잖아. 이별을 가장한 만남은 너무 슬프잖아. 우리 이별하지 않고 살아갈 순 없을까?

소녀는 눈사람의 마음소리를 들었는지, 눈사람의 뒤에 서서 눈사람을 앉아 올렸어. 거의 소녀 자신의 몸 크기와 맞먹었기 때문에 소녀가 눈사람을 들어 올리기에는 많이 버거웠지. 이렇게 큰 눈사람은 냉장실에 들어가지 않을테고 말야. 소녀는 눈사람을 다시 매만졌어. 조금 더 작고, 아담한 모양이 됐지. 소녀의 팔뚝 길이만한 크기야. 이제는 소녀가 들고 갈 수 있을 정도가 됐어. 소녀는 눈사람을 들어 옮겨 주방의 냉장실에 넣었어. 됐어. 이제 봄이 와도 눈사람은 녹지 않을 거야

그렇게 소녀의 냉장고에는 매년 눈사람이 하나둘 늘어갔어. 영원히 녹지 않는 눈사람의 왕국이 세워진 거지. 이별의 아픔을 다시 겪지 않기를 기도하는 마음으로 소녀는 꾸준히 눈사람을 만들었어. 실제로 소녀는 친구를 다시 사귀었고, 공부도 열심히 하기 시작했어. 작가가 꿈이었던 소녀였지만, 실기시험에서 떨어진 소녀는 본인 성적에 맞춰 집 근처 대학의 국어국문학과에 갔지. 그렇게 소녀는 어머니를 잃은 아픔을 잊은 것처럼 보였어.

냉장고 속 눈사람이 열 개가 되어갈 때쯤, 소녀에게 사건이 생기고 말지. 소녀의 가장 오래된 친구가 이별을 선언한 거야. 소녀는 이불을 꽁꽁 싸매고 한참을 울었어. 친구는 아주 오래전부터 이별을 준비하고 있었대. 직업도, 사는 지역도 달랐던 두 사람은 연락이 뜸해지기 시작했고 이제 아는 사람보다도 못한 사이가 된 거지. 아이야 인생이란 그런 거란다. 10년 지기 친구도 언제든 이별할 수 있어. 그 이유가 뭐든 간에 말야. 그러니 항상 이별을 준비하렴. 만남이 있으면 이별이 있는 법이야. 겨울이 오면 눈사람이 녹듯 아주 자연스러운 거지.

냉장고 속이라고 눈사람이 처음 모습을 그대로 간직했을까?

소녀가 다시 열어본 냉장고 속에는 곰팡이가 핀 눈사람이 있었어. 아주 고약한 냄새가 났지. 소녀는 종량제 쓰레기 봉투에 눈사람을 쓸어담고 밖으로 나갔어. 오늘도 하얀 눈이 내리고 있었어. 둥근 달이 뜬 밤, 길을 밝히는 가로등 사이로 하얀 눈이 흩날리는 게 보였지. 그 아래로, 바로 그게 보인거야. 어머니의 목도리 말야. 소녀의 까마득한 어린시절 잃어버렸던 그 목도리가 어떻게 그곳에 있었는지는 아무도 몰랐고 이해할 수 없었어. 소녀는 홀린 듯 그 목도리에게 다가갔고, 어린시절 자신의 기억을 떠올렸지. 어머니와 눈사람을 함께 만들던 기억 말야. 소녀는 어머니를 잊고 있었다고 생각했지만 아니었어. 오히려 잊어서는 안되었던 거지. 이별이란 감정이 너무 무겁고 두려워 도망치고 있었던 거야.

그 자리에서 소녀는 다시 눈사람을 만들었어. 눈뭉치를 뭉치고, 굴리고 굴려서 몸통과 머리를 만들고, 주변에 굴러다니는 돌들로 눈코를 만들고, 왼쪽에서 오른쪽으로 선을 그어 웃는 잎을 만들어주었어.

눈사람 '엘리'는 늘 소녀에게 진심으로 미소지어줬어. 소녀는 어머니의 목도리를 엘리에게 둘러주었어.

"봄이 오면, 다시 찾아올게"

그리고 이별을 말할게. 소녀는 조용히 입을 달싹였어. 아이야. 우리가 영원할 수 없더라도, 내가 봄의 기운에 녹아 사라지더라도, 우리가 함께했던 추억과 그 시절의 감성만은 영원할 거야.

※

　창문 밖으로 눈구름이 걷히고 해가 뜨는 것이 보인다. 거리엔 물이 흐르는 소리가 들리고, 천장에는 물이 뚝뚝 떨어지고 있다. 아이는 이미 잠에 든지 오래였다. 아이는 흐르는 물에 흘려 보낼 것이다. 그리고 흐르는 물은 아이를 산 자들의 곁으로 돌려 보낼 것이다. 너무 오래 붙잡고 있었다. 나도 이별을 준비해야 함을 뒤늦게 알았다. 못난 어머니인 것은 용서하렴. 아이야.

※

　이제는 커버린 나의 아이에게

　당신은 기억할까요? 지금으로부터 아주 오래 전, 우리가 처음 만난 날 말입니다. 전날 눈이 참 많이도 내렸었지요. 빠르게 저 버린 파란 하늘 뒤로 회색빛 구름이 세상을 감쌌고, 비인 듯 눈인듯한 얼음결정들이 하나둘 길바닥을 적시기 시작했습니다. 다음 날인 오늘, 일찍 일어나 단정히 옷을 차려 입고 밖을 나선 사람은 자신의 신발이 파묻혀 들어갈 정도로 두텁게 쌓인 눈을 보고 속으로 화를 삭였습니다. 누구는 길거리에 쌓인 눈을 삽으로 퍼 가장자리로 미뤄냈고요. 눈을 반기는 것은 도화지 마냥 하얗고 깨끗한 눈에 자신의 첫 발자국을 남길 것을 꿈꾸는 어린 당신과 바깥에 마실 나가는 것만 생각하면 꼬리가 프로펠러마냥 요동치던 강아지뿐이었습니다.

당신은 내복 위에 따뜻한 니트를 하나 더 껴입고 그 위로 머리부터 발끝까지 덮는 롱패딩을 입었습니다. 이래도 안심이 되지 않던 당신의 어머니는 직접 뜬 털실 목도리를 당신의 목에 둘러주었지요. 단단히 무장한 탓에 준비 시간이 걸린 당신은 다른 이들의 발자국으로 일찍이 더럽혀진 길거리를 보고 조금 실망한 눈치였습니다. 당신은 안으로 기어들어가는 듯한 목소리로 칭얼대며 자신의 어머니 품에 파고들었습니다. 어머니는 당신을 힘겹게 들어올려 왼팔로 엉덩이를 받치고, 오른손으로 당신의 등허리를 감싸 안았습니다.

품에 안은 당신을 위아래로 흔들며 달래던 어머니는 당신이 막 태어났을 때는 떠올렸습니다. 그날은 눈이 창문을 두드리듯 세차게 내렸습니다. 무겁고 둔탁한 무언가 부딪히는 소리를 미뤄 볼 때 사실 눈이 아니라 우박이었을지도 모릅니다. 배려없이 몇번이고 창문을 두드리던 그것은 당신의 어머니를 다그치던 어른들이었을지도 모릅니다.

예상치 못하게 교통사고처럼 어머니 자신에게 들이닥친 당신을 당신의 어머니는 조금은 미워했습니다. 다만 당신을 낳고 처음 자신의 품에 안아 들었을 때, 그때의 기억을 당신의 어머니는 아직도 잊지 못합니다. 당신은 무겁게 감긴 눈꺼풀을 힘겹게 들어 당신의 어머니의 눈을 마주 보았습니다. 당신의 어머니는 그 맑고 동그란 눈이 자신과 참 닮았다는 생각을 했습니다. 당신은 어느 모로 보나 어머니 자신의 자식이었습니다.

당신은 당신이 태어난 날을 기억하나요? 당신이 태어났을 때의 날씨와는 다르게 오늘은 해가 높이 떠올랐습니다. 찬 바람이 부는 겨울이었지만 빛만은 따스하게 당신과 당신의 어머니를 감싸주었습니다. 6살이 된 당신은 갓 태어날 때와 비교해 꽤 묵직해졌습니다. 당신은 당신 어머니의 첫 자식이었기에 어머니는 당신이 원하는 것이 무엇이든 다 이뤄주고 싶었고, 늘 행복하길 바랐습니다.

어떻게 해야 너의 기분이 나아질까. 어머니는 무언가 좋은 생각이 떠오른 듯 아, 하고 감탄사를 내뱉고, 당신과 눈을 맞추었습니다.

"우리 눈사람 만들까?"

패딩 모자 뒤로 귀를 쫑긋 세우고 있던 당신은 추위에 새 빨갛게 붉어진 볼 사이로 맑고 동그란 눈을 빛냈습니다. 재빨리 고개를 힘차게 끄덕이는 모습이 이 기회를 놓칠 수 없다는 양 보였습니다.

"응!"

당신은 기억하고 있었습니다. 언젠가 자신의 어머니가 제게 읽어준 눈사람 왕국에 대한 동화를요. 정성을 담아 만든 눈사람에 이름을 붙여주면, 눈사람이 숨을 쉬고, 말을 하기 시작하며 살아 움직인다는 것입니다. 그렇게 태어난 눈사람은 자신을 만들어준 자와 친구가 되고, 세계 각국에서 태어난 눈사람들이 모여 사는 눈사람 왕국에 초대한다는 이야기였습니다. 겨울에 태어난 당신은 유난히 겨울을 좋아했습니다. 영원한 겨울이라는 눈사람 왕국에도 꼭 한번 가보고 싶었죠.

당신은 눈사람 왕국에 갈 것을 기대하며 동화의 내용대로 눈사람을 만들었습니다. 쌓인 눈이 많지 않아서 동화의 소년처럼 성인 남성만한 크기는 못 되었지만, 당신의 키는 겨우 따라잡을 수 있을 정도의 눈사람은 만들 수 있었습니다. 석탄 대신 검은 콩을 박은 눈은 당신의 눈처럼 맑고 동그란 모양이었습니다. 눈사람의 눈코입을 만든 당신은 동화 속 소년과 같은 고민을 시작했습니다. 뭔가 허전해.

당신은 자신이 털실 목도리를 두르고 있다는 것을 깨달았습니다. 당신은 털실 목도리의 꼬리를 잡아 아래로 끌어내렸습니다. 풀어진 목도리가 당신의 손 위에 힘 없이 널부러져 있는 것을 본 어머니는 가만히 당신의 목도리를 들었습니다. 어머니는 당신의 목에 다시 둘러주고는 속삭이듯 당신에게 말했습니다.

"아빠 목도리 가져오자"

당신은 아빠라는 말을 듣고 살짝 들뜬 듯 입을 열었습니다.

"아빠는 내일 돌아오잖아"

아빠 감기 걸리면 어떡해? 나지막이 중얼거리는 당신을 당신의 어머니는 입가에 웃음을 머금고 잠시간 당신의 눈을 마주보았습니다. 마주한 어머니의 눈가에 눈송이가 맺히고 있는 게 보입니다. 눈송이는 어머니의 눈가에 맺혀 바람에 흔들리다가 곧 당신의 뺨에 떨어졌고, 본래 자신의 성질을 되찾아 물이 되어 당신의 뺨에 흘렀습니다.

당신의 어머니는 자신의 빨간 목도리를 풀어 눈사람에게 둘러 주었습니다. 그 모습을 본 당신은 서둘러 입을 달싹였습니다.

"그럼 엄마 춥잖아!"

"나중에 나현이가 새로 떠주면 되지" 목도리를 멋들어지게 매 듭짓고는 당신을 돌아보고 말을 다시 이었습니다.

"엄마가 목도리 뜨는 법 가르쳐 줄게."

그 순간 저는 동화 속 눈사람처럼 생명력을 얻게 되었습니다. 몸을 움직이지는 못했지만 주위의 것을 보고 듣고 느낄 수 있었 습니다. 저는 제게 '엘리'라는 이름을 지어주고 뒤돌아가는 모녀 의 뒤를 눈으로 쫓았습니다. 당신은 종종 나를 찾아와줬지요. 당신의 친구가 될 수 있어 정말 행복했습니다. 당신이 별 거 아 닌 제게 이름을 지어줬을 때부터 저는 조금 특별한 존재가 되었 을지도 모릅니다.

녹아가는 눈밭 사이로 새싹이 피어날 무렵, 저의 몸은 녹은채 흔적도 없이 사라졌지만 당신 어머니의 목도리만은 그 자리를 지키고 있었습니다. 누가 보고 치울 법도 했지만 정말 신기하게 도 길바닥에 버려진 목도리를 아무도 신경 쓰지 않았습니다. 그 렇게 1년, 5년, 10년의 시간이 지났습니다. 10년 넘게 저는 그 자리에서 당신을 지켜보았습니다. 책가방을 등에 메고 등교하는 당신을, 친구 여럿을 데리고 와 뛰어놀던 당신을, 어머니와 싸 우고는 입이 댓 발 나와서는 친구집으로 가는 당신을, 그리고 제가 마지막으로 당신을 본 건 느닷없이 당신의 집 앞에 응급차가 섰을 때였습니다.

오늘 아침에 본 사람을 오늘 저녁에는 못 보게 될 수 있는 것이 인생인 것입니다. 당신은 이 사실을 한창 또래 친구들과 어울려다닐 17살 나이에 깨달았습니다. 어머니의 사인은 심장마비였습니다. 해가 높이 떠오른 낮의 아파트 단지 입구에서 일어났지만 누구에게도 도움을 받지 못하고 어머니는 방치된 채 돌아가셨습니다. 34살의 어머니는 삶을 마무리하기에는 너무나 이른 나이였습니다. 당신은 숫자를 배우면서부터 어머니의 사정을 조금은 알게 되었습니다. 당신이 어머니를 잃은 나이 열일곱에 당신의 어머니는 당신을 낳았고, 매번 오늘을 30번 세면 돌아온다던 아버지는 당신에게 절대 돌아오지 않을 것이라는 것 말입니다. 당신은 집의 짐을 정리하며 아버지의 것이라고 생각했던 목도리를 의류수거함에 넣었습니다.

당신이 끝이 보이지 않는 깊은 슬픔에 잠겨 있는 것을 압니다. 아마 스스로의 힘으로 헤어나오지 못할 것을 충분히 이해하고 있습니다. 하지만 숨을 한번 고르고 주변을 둘러보세요. 어머니와의 추억이 있는 이 길을 찾아오세요. 이곳에 어머니의 목도리가 아직도 남아있습니다. 당신이 되찾아가길 기다리면서 오래 전부터 이 자리를 지키고 있었습니다. 당신이 이 목도리를 발견한다면 저의 역할이 끝난 것입니다. 만약 제가 사라지게 되면 이것만은 꼭 기억하세요.

당신의 어머니가 당신을 얼마나 소중히 생각했는지를요.

해발 3,000미터 국도 227번

མཚོ་དོས་མཐོ་ཚད་3000 རྒྱལ་ལམ་227

한
유
상

    남자는 웃는다. 대륙의 꽃봉오리처럼 솟아오른 고원이다. 여기는 해발 삼천 미터다. 뒷좌석에 앉은 남자는 택시 안을 둘러본다. 백미러에 걸린 염주가 흔들린다. 조수석에는 티벳 불교의 승려가 앉아있다. 바깥을 바라본다. 붉은 산맥이 점점 가까이 다가온다. 택시기사는 나이 든 티벳족 노인이다. 길이 위태롭게 굽이칠 때마다 기사와 승려는 염불을 한다. 옴마니반메훔. 옴마니반메훔⋯ 택시가 달리는 길은 227번 국도다.

    고산지대라 산소가 부족해서인지도 모른다. 남자는 평소보다 크게 숨을 들이켠다. 휴대폰 촬영 버튼을 계속 누른다. 휴대폰 카메라 렌즈도 산맥의 풍경을 들이켠다. 다섯 시간 반을 달렸다. 아직 세 시간이 남았다. 야크 떼들이 길을 막는다. 이차선 도로의 정중앙에 젊은 유목민 아낙네가 채찍을 가볍게 휘두른다.

채찍의 끝에는 작은 돌이 달려 있다. 양방향에서 오는 모든 차들이 정차한다. 아낙네의 휘파람과 자동차의 경적이 함께 야크 떼의 걸음을 재촉한다. 227번 국도는 칭하이성 시닝에서 간쑤성 장예로 이어진다. 중국에서 가장 아름다운 국도라고 한다. 7월에는 노란 유채꽃이 들판을 가득 채운다. 파란 하늘과 흰 구름, 노란 유채꽃, 회색 혹은 갈색의 산맥이 눈길을 사로잡는다고 한다. 지금은 초겨울이라 그냥 붉은 갈색의 산맥만 끝없이 펼쳐진다. 이 길을 따라 칭하이성의 티벳족 자치주인 골록으로 간다. 아직은 고산병 증세를 느끼지 못한다. 남자는 스스로 놀라면서도 한편으로는 기분이 흐뭇하다.

천막 모양으로 세워진 오방색 깃발이 보인다. 타르촉이다. 깃발마다 염원을 적어서 바람에 날리게 한다. 누군가의 소원은 바람을 타고 하늘을 떠돌 것이다. 가드레일도 없는 절벽 위로 난 길을 한참 올라가니 해발 삼천 오백 미터 구간이 시작된다. 남자는 고산병에 좋다는 약인 홍경천을 마신다. 조수석의 승려가 고개를 뒤로 돌려 수시로 남자를 쳐다본다. 남자는 웃어 보인다. 이국에서 홀로 온 남자가 신기해서 일까. 그보다는 남자가 혹시 고산병 증상을 보일지 걱정하는 듯했다. 고원은 남자에게 아량을 베푸는 것 같다. 아직은 불편한 게 없다. 해발 사천 미터가 되자 남자는 산소통을 입에 대고 몇 모금 들이켰다. 해가 지면서 붉은 산맥도 천천히 어두운 푸른색으로 변한다. 저 멀리 강이 보인다. 붉은색으로 장식한 하얀색 사원이 보인다. 하얀색으로 칠해진 부처상도 보인다. 승려는 이미 곯아떨어졌다. 라쟈 사원 앞 오성홍기가 걸려있는 주차장에서 택시가 멈춘다. 택시 기사는 남자와 서로 어눌한 중국어로 대화한다.

"왔어. 몸은 어때?"

"벌써요? 전 아무 문제없어요."

"응 그 여자애가 여기에 널 내려달래. 아무래도 넌 고원이랑 인연이 있는 거 같아. 여긴 삼천 미터가 넘는데 너는 편안하게 보여."

남자는 주변을 살핀다. 인기척이 없다. 차츰 불안해지기 시작한다. 멀리서 남자의 이름을 부르는 소리에 정신이 번쩍 든다. 회색 후드의 여자는 마스크 그리고 안경 때문에 얼굴이 잘 보이지 않는다. 다가올수록 얼굴이 선명해진다. 손끝으로 진녹색 염주를 굴리고 있다.

"한국친구?"

"응 네가 가상?"

"깝상이라고 불러도 돼. 내 고향에서 부르는 이름이야."

"응. 나인지 어떻게 알았어?"

깝상은 남자의 산소통을 가리켜 보인다. 외지인의 표식일 것이다. 깝상은 이곳 골록에서 나고 자란 티벳족이다. 깝상은 남자가 들고 있는 가방을 대신 들고 벌써 앞서서 걷는다. 남자는 가방을 다시 낚아채려고 걸음을 빨리하지만, 발이 제대로 땅바닥에서 떨어지지 않는다. 이곳은 삼천 삼백 미터다. 다리에 돌을 매단 거 같다. 깝상은 앞에서 빠르게 걷는다. 남자는 깝상의 뒷모습을 보며 겨우 걸음을 옮긴다. 허리까지 내려오는 검은 머리카락이 눈에 들어온다. 어두운 푸른색 산맥을 배경으로 검은 머리 결이 흔들리는 걸 보니 약간의 어지러움증 비슷한 게 찾아온다. 깝상을 인터넷을 통해 알 게 된 건 이 년 전이다. 처음 대화를 나눌 때 남자가 서울에 있는 티벳 식당을 일부러 찾아간 사실을 매우 신기해했다. 그 후에 간간히 연락을 취하다가 남자는 여자를 만나보기로 했다.

"아까 그 사원은 라쟈 사원이야. 겔룩파의 사원"

"황모파?"

"그것도 맞아."

마을은 단출했다. 사진에서 보던 티벳의 마을 그대로다. 마을 복판에 들어서자 곰 같은 덩치의 승려가 쑥 다가와서 대뜸 남자에게 악수를 건넨다. 자기가 깝상의 오빠라고 소개를 한다. 그는 열여섯 살에 자신의 의지로 출가했다. 깝상은 티벳어로 오빠에게 남자를 소개한다. 덩치 큰 오빠는 깝상과 남자를 번갈아 보면서 고개를 끄덕인다. 그녀의 오빠는 경계와 환영이 반반 섞인 눈빛으로 남자를 배웅했다. 그곳에서 숙소까지는 깝상 걸음으로 십오 분 거리라는데, 근 한 시간이나 걸은 거 같다. 고원에서의 백 미터는 평지의 천 미터라고 해도 틀린 말이 아니다. 숙소의 여사장은 남자의 여권을 보고 한국인이라며 신기하다며 호들갑을 떤다. 한국인은 처음이란다. 방은 이 층에 있었다. 엘리베이터 없이 올라간다. 남자는 숨이 차올랐다. 계단이 열 개 정도 남았을 때, 계단 한 개마다 이게 마지막 계단이라고 생각하며 올라갔다. 스무 개 정도의 계단이 산 하나를 올라가는 거 같았다. 방 안에 들어서자 그대로 드러눕고 싶을 정도였지만, 겨우 의자에 앉아 아무렇지도 않은 척을 했다. 깝상이 남자에게 뭔가를 내밀었다. 곱고 하얀 스카프다. 티벳의 환대의 표식 '하다'이다. 깝상은 하다를 남자의 손에 받들게 한다. 남자는 하다를 자신의 목에 가볍게 건다. 연신 깝상은 고산병이 없는지 걱정스럽게 물어본다. 남자는 춤도 출 수 있다고 거짓말을 한다. 어째 약간의 두통이 슬슬 찾아온다. 그래도 견딜만하다. 그날 밤, 남자는 자면서 이상한 꿈을 꾼다. 야크 무리가 머리를 밟고 지나간다. 붉은 산맥은 하늘을 온통 덮고 있다. 휘파람 소리가 들린다. 야크들은 하나같이 목에 염주를 걸고 있다. 낮에 택시 백미러에서 흔들리던 그 염주였다. 붉은 산맥이 남자를 덮친다. 숨 막힌다. 야크 무리가 산맥을 너머 사라진다. 휘파람 소리도 사라진다. 한 마리 남은 야크가 뒤를 돌아본다. 야크의 눈 속에 남자는 갇혀 있다. 야크의 눈 속에서 남자는 세상을 바라본다. 붉은 산맥을 배경으로 한 남자가 서있다. 그가 웃는다. 너는 나인가. 내가 너인가. 남자를 눈 속에 가둔 야크는 천천히 걸어 산맥을 넘어간다…

새소리가 들린다. 아침이다. 밤에 약한 두통과 구역질을 느꼈지만, 남자는 다시 기운을 차린다. 숙소로 깝상이 찾아왔다. 그녀는 어제보다 더 미소를 담은 얼굴이었다. 사원에 가자고 보챈다. 남자는 깝상을 따라 사원으로 향한다. 발걸음이 어제보다는 조금 가볍다. 깝상은 앞서 걷지 않고 일부러 남자 옆에 서서 걷는다. 깝상은 말도 없이 계속 웃는다. 남자도 웃는다. 웃는데도 힘들다. 고원은 사람의 표정 하나하나에도 힘을 들여야 하는구나 라는 생각도 들었다. 하늘이 맑았다. 하늘의 색은 저렇게 깊은 파란색이었구나 고개를 끄덕인다. 하늘이 저리 깊고 높은 걸 이곳이 아닌 다른 곳에서는 경험하지 못했다.

"마니통 돌려보고 싶어?"

사원에 들어서자 깝상이 말을 건넨다. 마니통은 돌릴 수 있는 큰 경통 모양의 불경이다. 안에 경전을 집어넣었기 때문에, 이것을 돌리면 불경을 읽는 것과 같다고 한다. 남자는 가장 큰 마니통을 힘차게 돌려본다. 손잡이는 생각보다 차고 꺼끌거린다. 깝상은 천천히 걸으면서 마니통을 좀 더 빨리 돌리라고 알려준다. 둘은 사원 안에서 신성한 물을 나눠 마신다.

"내일 목초지에 가자."

다음날 차로 세 시간을 달려 도착한 목초지는 해발 사천 미터였다. 목초지로 향하는 차 안에서 남자는 숨이 턱턱 막힌다. 남자는 산소통을 여러 번 입에 갖다 댄다. 가방 안에 있는 홍경천과 포도당액도 마신다. 다시 야크 무리와 몇 채의 집들이 눈에 들어온다. 해발 사천 미터에서 눈에 들어오는 산줄기와 하늘은 광활하다는 말밖에는 어울리는 말을 찾을 수 없을 정도였다.

진녹색 염주를 굴리는 깝상이 말한다

"저 산 보여? 난 저 겨울산에서 태어났어."

"정말? 산에서 태어났어?"

"티벳 사람들은 태어나면, 자기가 태어난 곳과 가장 가까이 있는 산에서 태어났다고들 말해."

하긴 그렇다. 도시가 없는 고원에서는 산과 물길의 이름 이외에는 딱히 기억될만한 게 없을 것이다. 그녀의 고향집은 목초지 근처였다. 남자는 그 집에 들어선다. 마루 중앙에는 화로가 도도히 타고 있었다. 깝상의 삼촌 두 명과 외숙모 그리고 할아버지와 할머니가 있었다. 그들은 엄숙한 분위기였다. 고원의 사람들은 웃기 전까지는 표정이 고정되어 있어서 그럴 것이다. 깝상의 할아버지가 먼저 입을 연다. 할아버지의 티벳어를 깝상이 중국어로 남자에게 전해준다.

"네가 어디에서 왔냐고 물어보셔."

"아 한국이라고 말해줄래."

"한국이 어디에 있는지 물어보셔."

"그… 중국 내지의 상하이와 칭다오보다 더 동쪽으로 가면 한국이 있어."

할아버지가 미소를 띤다. 한국을 모르는 듯하지만, 중국과 그리 멀지 않다는 사실에 안도하는 듯했다. 그녀의 외숙모도 같이 웃으며 땔감으로 사용하는 말린 야크 똥을 화로에 넣어준다. 활불이라 일컫는 판첸라마의 사진이 우리를 내려다보며 웃고 있다. 거실 벽지는 사람들을 태운 큰 보트가 바다를 가로지르는 그림으로 채워져 있다.

"어릴 적에는 휴대폰이 없었어. 그래서 벽지 속 그림을 보면서 여동생과 다른 세상을 상상했어. 나는 동생에게 저 보트의

선장이 나라고 말했어. 여동생은 배 위에서 춤추는 저 여자가 자기라고 그랬어"

남자는 다시 벽지 그림을 본다. 하도 오래되어서 낡았지만, 그림 속 바다와 보트, 보트에서 춤추는 여자의 모습은 색감이 선명하다. 고원의 사람들에게 바다는 그림이나 사진으로만 볼 수 있을 것이다. 많은 사람들은 죽을 때까지 바다를 보지 못할 것이다. 그렇다고 그 바다에 집착하지도 않을 것이다. 그런 세상이 어딘가에 있다는 것을 가끔 생각하면서 살아갈 것이다. 우리는 직접 보지 못한 풍경이나 도시를 생각할 때 마음속에 스쳐가는 짧은 그리움과 설렘 그 자체를 좋아하는 것인지도 모른다. 막상 보고 나면 바다가 고원과 크게 다르지 않다는 것을 금방 알아차릴 것이다. 산들이 파도처럼 솟구치고, 파도처럼 밀려오는 이 고원이 남자에게는 거대한 산의 바다로 다가오는 것처럼.

깝상은 가족과 남자를 위해 점심을 준비한다. 남자는 그 사이를 틈타 바깥으로 나가 산들의 바다를 바라본다. 경사진 산길을 따라 올라간다. 깝상의 집이 저 아래 보인다. 하늘과 더 가까워진 느낌이다. 하늘 냄새가 더 진해졌다고 생각한다. 저 아래 야크들이 까만 점으로 보인다. 붉은 산들이 서서히 움직이기 시작한다. 붉은 파도처럼 남자에게 다가온다. 남자는 붉은 물에 갇힌다. 공기 대신 붉은 물결이 코로 들어오고 붉은 포말이 입에서 쏟아진다. 야크 무리들이 갑자기 남자가 서 있는 곳으로 줄지어 올라온다. 야크의 털들이 온통 붉은빛으로 휘날린다. 야크

무리의 수많은 발굽이 남자를 덮친다. 하나도 아프지 않다. 오래된 브라운관 텔레비전 화면처럼 이 모든 붉은 풍경들이 자글자글 뭉개 진다. 어느새 남자는 야크의 눈 속에 갇힌다. 야크의 속눈썹이 블라인드처럼 드리워져 있다. 속눈썹 틈으로 바깥을 본다. 온통 붉은 산을 배경으로 한 남자가 서서 남자를 바라보고 있다. 남자는 자기 이름을 부른다. 바깥의 남자가 웃으며 손을 흔든다. 오랜 친구처럼 반갑다. 남자도 같이 손을 흔든다. 바깥의 그 남자를 안다. 그 남자는 불안하다. 살아오면서 마주친 숱한 풍경들에 한 번도 감동한 적이 없다. 항상 낯설고 이상한 풍경 속에 들어가 있는 자신을 발견하고는 흠칫 놀라는 일을 반복했다. 학교도, 거리도, 카페도, 친구를 기다리는 전철역 입구에서도 내가 왜 여기 있지 하며 혼자 놀라곤 했다. 그건 마치 고흐의 그림 밤의 카페 테라스 맨 앞자리에 혼자 앉아 있는 기분 같았다. 그 빈자리는 누군가 앉지 않아야 밤의 테라스가 되는데 말이다. 밤의 카페 테라스는 적당히 비워 있어야 빈 공간 속 별이 빛나는 밤하늘과 사람들의 대화가 채워지는데, 남자는 자리를 잘못 선택했다. 늘 그랬다. 야크의 눈이 천천히 감긴다. 창고의 철제 셔터가 내려오듯이… 눈앞이 캄캄해진다.

 붉은 산들이 남자를 부른다. 붉은 그림자들이 남자를 일으킨다. 누군가 남자를 등에 업는다. 야크의 요란한 발굽 소리가 뒤따라온다. 콧구멍이 축축한 느낌이다. 손으로 더듬으니 산소호스가 코에 꽂혀 있었다. 눈을 뜬다. 흰 천장과 흰 전등이 보인

다. 눈이 부시다. 주변을 둘러싼 어두운 그림자가 서서히 윤곽을 드러낸다. 깝상과 가족들이다

"괜찮아?"

그들은 남자의 손을 잡아준다. 남자를 차에 태우고 세 시간을 달려왔다고 한다. 여기가 어디냐고 물으니 그 고원 지역에 하나뿐인 인민 병원이라고 말해 준다. 고산병이란 게 이런 거구나. 임사 체험이란 게 이런 건가 싶은 생각도 스쳐갔다.

남자는 정신을 차리고 농담을 건네며 웃어 보인다. 깝상과 가족들은 안도의 숨을 쉰다. 그들도 숨이 막혔나 보다. 남자를 한참 돌보는 깝상과 가족들. 철없는 남자는 고산병도 즐기는지 마냥 웃어대었다. 눈물 때문에 눈이 반짝이는 깝상의 손에 어김없이 염주가 보인다. 진녹색의 염주. 아녜마첸 산에서 가져왔다는 염주다. 깝상은 108개 염주 구슬을 쉼 없이 넘기며 기도했다고 한다. 깝상은 그 철썩되기 없는 남자에게 말없이 염주를 쥐여준다. 골록은 점점 어두워진다. 지평선 너머 고원과 황하가 남자를 보며 웃는다.

"야크 눈동자 속에 갇혔어. 내가 야크가 된 거야."

깝상은 무슨 말인지 모르고 연신 괜찮냐고 물어본다. 아마 남자가 고산병으로 일시적으로 미친 거 아닌지 걱정하는 게 분명했다. 남자는 자기가 미치지 않았다고 말한다. 갑자기 의사를 불러온다. 의사와 깝상이 번갈아 가며 남자의 이름과 나이 등을 물어본다. 남자는 정확하게 대답을 한다. 하긴 엉터리로 대답했어도 그들이 알 턱이 없겠지만 말이다.

다음 날, 하늘은 여전히 깊고 높다. 태양은 여전히 뜨겁게 내리 퍼붓는다. 병원 입구를 나올 때 깝상이 남자를 부른다.

"야크!"

남자는 히죽 웃는다. 그래 남자는 자기가 야크라고 생각한다. 붉은색 야크도 있나? 아마 이 고원 어딘가에 혼자 풀을 뜯는 붉은 털의 야크가 한 마리 있을지도 모른다고 생각한다. 붉은 산으로 가득 찬 이 고원에 검은 털 야크보다 오히려 붉은 털을 지닌 야크가 더 어울릴지도 모른다고 생각하면서 혼자 엷은 미소를 짓는다.

깝상이 미소 지으며 진녹색 염주를 남자의 목에 걸어준다.

"야크한테 염주를 걸어주는 건 처음이야."

깝상이 까르르 웃는다. 다행이라고, 고산병으로 쓰러져 병원에 올 정도면 회복하는데 며칠 걸리는데, 하루 만에 벌떡 일어나서 다행이란다. 야크도 해발 고도가 사천 미터 이상으로 높아지면 잘 걷지 못하고 비틀거린다고 한다. 그렇구나. 야크라고 해서 고산병이 없는 게 아니구나 생각한다. 수목 한계선이 있는 것처럼, 동물도 해발 고도에 따른 한계선이 있겠지. 누구나 그럴 것이다. 세상에도 눈에 보이지 않는 한계선이 어딘가에 지도상에 선처럼 굵게 그어져 있을 것이다. 깝상이 남자의 손을 잡아주고 잘 가라고 말해준다. 그다음에 무슨 말을 하려는데, 입술만 움직이고 말소리가 들리지 않는다. 남자도 고맙다고 말한다. 깝상의 눈동자가 깊다고 생각한다. 자세히 보니 그 눈동자에 고원의 하늘이 보인다. 흰 구름 두어 점도 흐른다. 더 가까이 가면 고원의 바람 소리도 들릴 것만 같다. 남자는 멈춘다.

"갈게."

남자는 그 다음 말은 하지 않는다. 시닝으로 향하는 택시 안에서 생각해 보니, 병원비를 깝상이 다 내준 거 같다. 병원을 나와서 택시를 탈 때도 정신이 없어서 그 생각을 미처 하지 못했다. 이 고원에서 저지대로 빨리 내려가는 게 좋을 거라는 생각만 했다. 깝상과 그녀의 가족들 역시 그걸 권했다. 남자는 병원비를 자기가 내지 않은 것에 대해 미안하고 한편으로 고맙다는 메시지를 여자에게 보낸다. 곧바로 답이 온다.

"어쩌면 전생에 네가 날 더 많이 도와줬을지도 있어. 이번 생에 내가 너에게 갚았다고 생각해."

택시기사가 남자에게 작은 팥빵 몇 개를 건네준다. 남자는 팥빵을 몇 개를 입 안에 다 밀어 넣고 우적우적 씹어 삼킨다. 배고프지 않은데, 배가 고팠다. 목이 메어 눈물이 찔끔 나온다. 한번 나온 눈물이 계속 흐른다.

"정말 괜찮아? 계속 울잖아?"

택시 기사의 말에 남자가 대답한다.

"아직 고산병이 있나 봐요."

붉은 털 야크 한 마리가 고원에서 저지대로 내려간다. 눈앞에 계속 펼쳐져 이어지는 길은 중국에서 가장 아름다운 국도 227번이다.